KLAUSBERND VOLLMAR

Los sueños
Cómo recordarlos e interpretarlos

➤ Consejos y aplicaciones creativas para muchos ámbitos de tu vida
➤ Aprovecha la energía de tus imágenes interiores

HISPANO EUROPEA

Índice

Prólogo

Aprendamos a soñar […], quizá entonces encontremos la verdad.
Kekulé von Stradonitz (químico alemán, 1829-1896).

Todos los investigadores de los sueños de todas la épocas y de todas las culturas coinciden en que los sueños pueden servirnos de guía y de ayuda. Pero para que usted pueda sacar provecho de esta guía y de esta ayuda es necesario que empiece por comprender sus sueños. Y un sueño no comprendido es como un libro sin leer, sirve de muy poco. Por otra parte, un sueño bien interpretado es un consejero gratuito que cada noche le proporcionará consejos prácticos para su vida.

Un sueño comprendido es un asesor vivencial gratuito

El gran cineasta italiano Federico Fellini dijo una vez que «los sueños son fábulas que nos explicamos nosotros mismos». Y estas sorprendentes historias oníricas, unas veces divertidas y otras veces incluso eróticas, están llenas de enseñanzas. Le enseñan formas de activar todo su potencial oculto, de disfrutar de la vida y de evolucionar en ella.

Pero los sueños tienen su propio lenguaje; un lenguaje a base de símbolos. Y este lenguaje podemos aprenderlo como si se tratase de un idioma extranjero, pero con la notable diferencia de que no nos es tan extraño como a simple vista pudiera parecer.

Trabajar con los sueños significa recordarlos, comprender su lenguaje y aprovechar sus mensajes

Es tan fácil y tan rápido entender un sueño y su lenguaje como recordarlo. Cuando haya leído este libro, ambas cosas no deberán plantearle ya ninguna dificultad.

En el primer capítulo aprenderá aspectos interesantes acerca de la tradición de la interpretación de los sueños, por qué y cómo nos pueden ayudar en la vida cotidiana, y qué es exactamente lo que nos sucede cuando dormimos y soñamos. En la parte central del libro encontrará gran cantidad de consejos útiles que le ayudarán a ser capaz de recordar sus sueños e interpretarlos por su cuenta. En el último capítulo descubrirá la forma de conseguir que sus conocimientos recién adquiridos le ayuden a superar incluso las situaciones más difíciles, tanto a usted como a sus hijos.

Muchas veces hablaremos de «trabajar» con los sueños, pero la verdad es que se trata de una actividad muy entretenida y divertida. El cine que tenemos dentro de la cabeza es muy creativo. Descúbrase a usted mismo como un genial director de cine que produce películas merecedoras de un Oscar para consumo propio.

Klausbernd Vollmar

Cuando el consciente duerme...

...despierta el inconsciente y se nos manifiesta en los sueños.
En la Biblia ya se dice que «el Señor se manifiesta en los sueños», y no sin motivo, pues los sueños pueden proporcionarnos soluciones geniales para nuestros problemas que jamás se nos ocurrirían en estado de consciencia.
Los que dicen que «solamente fue un sueño» no comprenden la función de éstos: cada sueño es una importante reacción de nuestro inconsciente ante nuestros problemas y conflictos de la vida cotidiana, y expresa su intención de enfrentarse a ellos y solucionarlos.
El sueño es la forma más directa y menos compleja de aprovechar al máximo nuestro propio potencial.
Cuando usted sea capaz de comprender sus sueños y actuar en consonancia, verá cómo su vida será más sencilla y le ofrece muchas más alegrías y satisfacciones.

Sueños: sus incansables ayudantes

Los sueños
nos ayudan a
desplegar todo
nuestro
potencial

Los sueños intentan conducirnos hacia un estado de bienestar. Son un reflejo de nuestras pautas de comportamiento en situaciones conflictivas, nos ayudan a comprender mejor la realidad y, sobre todo, nos ofrecen sugerencias para solucionarlas. Nos proporcionan una ayuda direccional para vivir con todo nuestro potencial y tal como somos.

En un principio existía el sueño

Los sueños se pierden en nuestro despertar, pero nadie puede afirmar con certeza cuándo se inicia el despertar de una persona.
Georg Christoph Lichtenberg
(Físico y escritor, 1742-1799)

La vigilia y los sueños son dos estados de consciencia que determinan por igual nuestra existencia y que se suceden sin solución de continuidad. Así es como nos lo muestran fenómenos tales como la ensoñación y la imaginación. Se apartan del encasillamiento de nuestro intelecto y se expresan en forma de imágenes.

El estar
despierto y el
soñar
determinan
nuestra
existencia a
partes iguales

Los más recientes estudios sobre el consciente indican que cuando el hombre estaba en las primeras fases de su evolución poseía un estado de consciencia similar al del sueño. Y esto es algo que aún podemos observar en los niños. Hasta llegar a la edad escolar viven casi exclusivamente en un mundo de ensueño en el que –como en los cuentos – los animales hablan y los seres vivos y los objetos son capaces de transformarse.

El sueño
puede
considerarse
como el origen
de todas las
cosas

En muchas culturas encontramos mitos acerca de la creación del mundo según los cuales el sueño es el origen de todas las cosas. Así sucede en la mitología de los aborígenes australianos, y también en la de los indios. Yo también opino que no hay nada que antes no haya aparecido en sueños. Y es que cada sueño –tanto si es durmiendo o durante una ensoñación diurna– es un acto de creación más o menos inconsciente.

Logramos nuestro mundo con nuestros sueños. Nuestra realidad la preconcebimos en sueños –¡la idea precede a la realización!– y por tanto deberíamos sentirnos responsables de nuestros sueños.

De lo que se trata es de soñar el sueño adecuado

■ Dado que nuestros sueños tienen esta gran energía creativa, es muy importante que sepamos ocuparnos bien de ellos y que encontremos la manera de soñar los sueños correctos.

La vida como reflejo de los sueños

Si no desea seguir yendo a merced de sus sueños inconscientes deberá dejar de establecer una separación entre los estados de vigilia y los de sueño. Las personas creativas actúan de forma integral, conectando lo mejor posible su consciente con su inconsciente (pág. 75). Cuando seamos capaces de comprender nuestros procesos internos podremos organizar nosotros mismos tanto nuestro mundo interior como el externo. Por tanto, es muy importante intensificar la comunicación entre los sueños y la realidad. Así conseguiremos que los sueños se conviertan en nuestros mejores aliados.

Nuestro mundo lo construimos con nuestros sueños, ya que cada sueño es un acto creativo

Podríamos decir que la vida será un reflejo del sueño. Éste influirá en nuestra vida, del mismo modo que nuestra vida influirá en él. Si tiene problemas en su vida cotidiana, sus sueños le proporcionarán las soluciones más lógicas. Y las nuevas perspectivas que le abrirán los sueños le cambiarán su vida, tanto si lo desea como si no. Por este motivo, por la mañana se levantará con un estado de ánimo que le acompañará durante todo el día.

Y este estado de ánimo también se traspasará a sus sueños, donde actuará sin que usted pueda influir en él.

En los sueños
todo es
posible

¿Qué son los sueños?

Sueño es actualmente una palabra de moda. La palabra sueño es una de las favoritas de los publicistas, y la expresión *de ensueño* cada vez se emplea con más frecuencia. ¿Por qué nos gustan tanto las cosas de ensueño? Porque nos trasladan del mundo vulgar a un mundo extraordinario en el que no existen ni el esfuerzo ni la carga. El sueño no depende de las limitaciones que nos imponen la lógica, la causalidad o las fuerzas de la naturaleza. Es un ente libre en el que todo es posible. Y esto es lo que más nos fascina de él.

Una cuestión antiquísima

La fuerza de los sueños es algo que ha fascinado al hombre desde los albores de la civilización, y la prueba es que la historia de la interpretación de los sueños arranca casi a la vez que la de la humanidad.

Uno de los relatos de sueños más antiguos que se conocen aparece en la epopeya del Gilgamesh (alrededor de 2000 a.C.), que es uno de los primeros textos de la humanidad. Los asirios y los egipcios también se tomaban los sueños muy en serio. En el año 1210 antes de nuestra era, el faraón egipcio Tutmosis tuvo un sueño que le llevó a cubrir la esfinge con un manto de terciopelo, y también es sabido que Tutankamon soñó con que llegaría a reinar sobre el norte y el sur de Egipto.

Interpretación
de los sueños:
una ocupación
que siempre
nos ha
fascinado

El hecho de que nuestros sueños se aparten de las experiencias de la vida cotidiana hizo que en la antigüedad fuesen considerados como manifestaciones de los deseos de los dioses o de los demonios. También se creía que el sueño nos mostraba las vivencias del alma cuando ésta se separaba del cuerpo para viajar libremente. Actualmente nos hemos vuelto algo más realistas.

Los sueños son las ventanas del alma

Los científicos actuales aceptan la teoría de que el sueño es el resultado de la actividad cerebral mientras dormimos. Nuestra imaginación no descansa al dormir.

El aspecto
psicológico

Desde Sigmund Freud (1856-1939) y Carl Gustav Jung (1875-1961), la psicología considera que el sueño es una manifestación del subconsciente. Es como una ventana a través de la cual nos es permitido observar el inconsciente, cosa que no podemos hacer cuando estamos despiertos. Necesitamos nuestros sueños para poder llegar a comprender la fuerza de nuestro subconsciente –de lo contrario el subconsciente no sería más que una zona en blanco en nuestro mapa interno, y jamás llegaríamos a entendernos a nosotros mismos.

Satisfacción de deseos y «sueños estándar»

La interpretación de los sueños, según Freud

La interpretación de los sueños, tal y como la conocemos en la actualidad, fue establecida por Sigmund Freud, «el padre del psicoanálisis».

A finales de 1899 publicó un libro revolucionario que llevaba por título *La interpretación de los sueños*. En él exponía la tesis de que el sueño satisface nuestros deseos más ocultos, aquellos que nosotros mismos ni siquiera somos capaces de aceptar. Según Freud, estos deseos surgen en nuestra infancia y suelen ser de índole sexual. Se manifiestan en la percepción consciente de los sucesos cotidianos de

La fuerza del inconsciente

El inconsciente es algo así como el «sótano» de nuestra personalidad: la zona que queda en la oscuridad. No podemos percibir directamente lo que se oculta en él, pero precisamente por eso ejerce una influencia tan grande sobre nosotros.

El inconsciente controla la forma en que vemos a las demás personas, nuestras apreciaciones y nuestras percepciones. Cuando odiamos a una persona, o nos enamoramos de ella, lo que sucede es que la agresividad o el aprecio se abren paso hacia el consciente. Siempre que algo nos fascina y nos maravilla, o nos irrita y nos enfurece, es el inconsciente el que se está imponiendo sin tener en cuenta los problemas que ello nos pueda acarrear.

Dado que el inconsciente tiene la desagradable costumbre de ganar la partida en los momentos menos oportunos, es importante que podamos actuar conscientemente.

Y solamente podemos controlar lo que hacemos de forma consciente. El inconsciente ha de servirnos de inspiración, pero no ha de dominarnos.

nuestra vida de adultos. Freud partía de la base de que los sueños son el resultado de las experiencias vividas durante el día.

C.G. Jung siguió desarrollando la teoría

Pero Jung, discípulo y amigo de Freud, no estaba muy de acuerdo con estas teorías. Para él, los sueños son una forma de retroceso a las experiencias primigenias de la humanidad. Y la psique del soñador es la que trabaja a nivel individual con estas experiencias suprapersonales. Jung rechazaba tanto esta última idea como la hipótesis de que los sueños satisfacen algún tipo de deseos.

Según mis propias experiencias, creo que la aproximación de Jung fue más acertada que la de Freud. He leído y escuchado miles de relatos de

Al dormirnos nos sumergimos en el misterioso mundo del inconsciente, un mundo que se expresa a través de los sueños

sueños, y siempre me sorprende que se repitan con tanta asiduidad las mismas imágenes y las mismas situaciones.

Imágenes oníricas que todos soñamos

Es el caso de la mujer que sueña que está en el colegio, sola y desnuda ante la pizarra, mientras que el hombre falla una y otra vez en un examen importante. Uno se pierde, lo persiguen y acaba cayendo en un abismo. Todos hemos soñado alguna vez que nos encontrábamos en estas situaciones, las imágenes que nos atemorizan son prácticamente las mismas para todos.

Pero lo realistas que puedan llegar a ser estas representaciones oníricas es algo que dependerá de las experiencias personales de cada uno. Uno suspenderá el examen porque no ha preparado bien el temario o porque ha estudiado algo que no tocaba. Otro quizá suspenda a causa de su falta de aplicación, o incluso porque el profesor le tenga manía. Estas representaciones, que siempre tienen un significado muy importante, dependen de las experiencias previas del soñador y suelen corresponder a lo que Freud llamaba «resumen del día».

Tan variados como la vida misma

Los sueños no hay que interpretarlos exclusivamente como la expresión de deseos sexuales. Cada sueño puede contener un plano sexual –que

No existe un plano único

se manifiesta en forma de excitación de los órganos sexuales durante el sueño (erección, humedad, etc.)–, pero esto es solamente eso, un plano entre otros muchos.

Yo opino que los sueños son como un cuadro compuesto por muchos planos o estratos: en cada sueño, además del plano sexual existe por ejemplo un plano social o comunicativo; otro plano en el que se manifiestan nuestros aspectos femeninos y masculinos, un plano asesorador y visionario que nos muestra las perspectivas de futuro y los problemas actuales de los demás planos. En los sueños actúa una inteligencia superior –la inteligencia onírica– que puede intervenir en todos los aspectos y planos de nuestra vida.

Los sueños se pueden interpretar en distintos planos

Es decir, un sueño es muchas cosas a la vez. Todo dependerá de lo que se haga con él y con qué objetivo se le haga trabajar.

Cada sueño es un espejo

Dado que cada sueño es como un espejo en el que nos miramos cada noche, podemos servirnos de él para realizar muchos descubrimientos.

Todo lo que vemos en sueños es un reflejo de nosotros mismos

Nosotros somos todo lo que nos muestra el sueño, por muy difusas que sean sus imágenes. Sus sueños representan una expresión de lo más profundo de su ser y le muestran una imagen de usted mismo que no siempre le va a gustar. Es como lo que le sucedía a la madrastra de Blancanieves cuando se miraba en el espejo mágico. Pero siempre es útil saberse reconocer con claridad. La inteligencia onírica solamente pretende estimularnos, darnos un impulso y mostrarnos nuevas perspectivas. Pero, por desgracia, generalmente no nos tomamos muy en serio esta importante ayuda nocturna.

■ El primer paso para conseguir trabajar de forma eficaz con los sueños, consiste en darnos cuenta de que no nos podemos permitir el lujo de pasarlos por alto.

Cuando el inconsciente toma la palabra

La voluntad duerme durante la noche, pero si se debilita durante el día también podemos soñar. La vida es una constante sucesión de estados de sueño y de vigilia. Muy pocas veces estamos absolutamente despiertos, y soñamos con más frecuencia de lo que creemos. Nuestro

Vivir entre el
sueño y el
estado de
vigilia

estado de vigilia es en realidad un estado de somnolencia en el que se producen frecuentes ensoñaciones. Pero no hemos de considerar esto como algo malo. Al contrario, los sueños son los que aportan creatividad a nuestra existencia. El sueño es el beso de la musa, el que nos trae la inspiración y nos permite ver las cosas de otra forma al alterar nuestra percepción.

El consciente nunca duerme del todo

Los sueños no son totalmente inconscientes, de lo contrario no podríamos recordarlos. Pero tampoco son conscientes del mismo modo en que nosotros percibimos conscientemente la realidad. Podríamos decir que los sueños son un estado intermedio y dinámico.

Cuando dormimos, los sueños son guiados principalmente por el inconsciente, mientras que en las ensoñaciones diurnas intervienen más las visiones, la imaginación y la fantasía.

Los sueños
unen el
consciente con
el inconsciente

Las partes conscientes de los sueños albergan principalmente nuestros problemas externos. Sus partes inconscientes intentan manifestar nuestros problemas internos. Dado que la inteligencia onírica relaciona el consciente con el inconsciente, es capaz de mostrarnos una visión general de nuestra situación a la que jamás podríamos acceder estando despiertos. Nuestros sueños nos muestran indicaciones que corresponden precisamente a aquello en lo que habitualmente no nos fijamos.

Los sueños son como películas didácticas

Un cine
nocturno en la
cabeza

El sueño es, para cada uno de nosotros, como una película didáctica en la que interpretamos el papel protagonista. Trabajar con los sueños para que nos sirvan de ayuda significa intervenir emocionalmente en esta película didáctica y lograr comprenderla en todos sus detalles.

Los sueños tienen muchos puntos en común con las películas: cuando dormimos, movemos involuntariamente los ojos del mismo modo que cuando estamos en el cine y seguimos la acción que se proyecta en la pantalla.

Estos rápidos movimientos de los ojos (ver recuadro) indican las fases del sueño en que se desconecta casi por completo la consciencia crítica del hemisferio cerebral izquierdo y se despliegan sin impedimentos los mundos visuales e intuitivos del hemisferio derecho.

Todas las personas sueñan, pero no todas recuerdan lo que han soñado

Resultados de laboratorio

Desde los años 1950 existen «laboratorios del sueño» en los que se miden y estudian los sueños mediante diversos aparatos: Se analizan las corrientes cerebrales de la persona dormida y se observa atentamente su cuerpo. Así se ha llegado a la conclusión de que el cerebro conserva su actividad durante todo el tiempo que la persona permanece dormida.

Fases del sueño, cuándo se producen

Cada noche se tienen sueños intensos por lo menos 4 o 5 veces –y los tiene todo el mundo, aunque muchas personas no sean capaces de recordarlos.

Las etapas en las que soñamos son lo que conocemos como fases REM. REM es el acrónimo de «Rapid Eye Movement», es decir, movimiento rápido del ojo, que es la característica física más notable de las fases en que se sueña con mayor intensidad.

Las fases REM duran cada vez entre 3 y 20 minutos y se producen a intervalos de unos 90 minutos.

Entre ellas se sitúan las fases no-REM, en las que el cerebro también trabaja pero sin producir sueños mensurables.

La fase REM

- Los ojos cerrados siguen las imágenes que se producen en el sueño (REM).
- Las ondas cerebrales se vuelven más lentas (13-30 hertzios en estado de vigilia, 4-8 hertzios soñando dormido).
- Se activa el hemisferio cerebral derecho, el hemisferio izquierdo disminuye su actividad.
- Se elimina casi totalmente la actividad motriz, la persona que está soñando permanece prácticamente inmóvil. Cuando una persona se agita o habla estando dormida lo hace casi siempre en las fases no-REM, o se trata de problemas que afectan al cerebro y que, al igual que el sonambulismo, siguen sin estar totalmente aclarados por la ciencia.
- La temperatura corporal, que ha disminuido durante la fase no-REM sin sueños, vuelve a aumentar para evitar hipotermias.
- Se produce una excitación de los órganos sexuales (erección, dilatación de los labios vaginales y el clítoris, abundante secreción de flujo vaginal).
- El sistema inmunitario se activa para combatir posibles agentes patógenos.

Esas imágenes nos muestran que en nuestra vida existen muchas más relaciones y perspectivas de las que podríamos llegar a imaginar. Esto nos estimula a descubrir nuevos aspectos de nuestra vida y a reconocer nuestro propio potencial.

Mundos de imágenes que nos ayudan a entender

Los bebés se pasan la mayor parte del día durmiendo y soñando porque tienen que aprender a adaptarse a un mundo que les es totalmente desconocido. Unos estudios realizados en Estados Unidos demostraron que los adultos que suelen prestar atención a sus sueños reaccionan a los estímulos externos de un modo más rápido e inteligente que aquellos que no se ocupan de ellos.

Los mundos que se nos aparecen en sueños nos sirven de ayuda para adaptarnos a un entorno siempre cambiante –el sueño es una ayuda para el desarrollo del consciente.

Ayuda vital a base de trabajar los sueños

Si se fija bien en sus sueños, descubrirá oportunidades y posibilidades para comprender mejor sus problemas cotidianos y lograr solucionarlos de una forma más efectiva.

Para comprendernos mejor a nosotros mismos y nuestras circunstancias

Los sueños pueden mostrarle, por ejemplo, cuál es el lugar en el que usted se encuentra actualmente a causa de sus temores y de su forma de actuar.

También le pueden proporcionar una imagen adversa de usted mismo. Así podrá identificar mejor sus puntos fuertes y sus debilidades, evaluarlas de forma realista y saber lo que le conviene y lo que no.

Una guía para elegir trabajo y pareja

Esto es de gran utilidad a la hora de elegir las amistades o de decidirse por un trabajo u otro. Al trabajar los sueños llegará a confiar más en sus sentidos: reconocerá cuál es la mejor pareja para usted; verá más claramente cuál es la profesión que más se adapta a su personalidad y en la que podrá obtener mejores resultados.

¿Hay que trabajar los sueños en solitario o es mejor hacerlo con alguien?

Usted puede trabajar los sueños solo, con su pareja, con un amigo, o en familia (pág. 69).

En algunos casos también es muy recomendable ir a un especialista en sueños –generalmente se trata de psicoterapeutas especializados en este campo.

Todos los métodos que se describen en este libro pueden practicarse tranquilamente en solitario. Si usted no sufre ninguna psicosis podrá alcanzar todas las metas que se proponen de una forma rápida y carente de riesgos.

Por regla general, después de un mes de ocuparse regularmente de sus sueños le será posible comprender el significado de éstos y aplicar correctamente sus ayudas.

Si trabaja sus sueños en solitario le será de gran ayuda hacerse un pequeño diccionario de símbolos (pág. 60) que le ayude a interpretarlos con mayor facilidad.

Al cabo de un mes ya podremos interpretar los sueños

Ayuda de especialistas

Si tiene problemas graves, angustias, o simplemente necesita que alguien le estimule a seguir adelante, le será muy útil recurrir a un profesional cualificado.

Muchas veces puede ser suficiente con un breve asesoramiento telefónico, pero en otras ocasiones no habrá más remedio que acudir algunas veces a la consulta del especialista para que éste decida cuál es el mejor camino a seguir.

Tenga en cuenta que el especialista en sueños no se limitará a intentar interpretar los sueños, sino que fundamentalmente le ayudará a aprender a sacar el mayor provecho posible de ellos. Y es que trabajar con los sueños –como dijo Freud– es la mejor forma de conocerse y ayudarse a uno mismo.

En caso de que tenga problemas serios

IMPORTANTE
Límites del trabajo con los sueños

A pesar de que el trabajar con los sueños pueda aportar muchísimo a nuestras vidas, también existen algunas limitaciones que no conviene sobrepasar. El trabajo por cuenta propia nunca podrá sustituir a la psicoterapia. Tampoco podrá alterar las estructuras del carácter de cada uno.

Y no se haga ilusiones acerca de que sus sueños vayan a proporcionarle el número ganador de la lotería, las cotizaciones de bolsa, o la casilla en la que entrará la bolita blanca de la ruleta. Todos estos casos ya han ocurrido en alguna que otra ocasión, pero estas predicciones no se pueden tomar muy en serio.

No es ni un oráculo ni un sustituto para las terapias profesionales

Deshacer la maraña de los sueños

Nuestros sueños pueden parecernos surrealistas, intrigantes, mágicos o divertidos, pero siempre cautivadores y apasionantes. Y ésta es precisamente la primera clave de la interpretación de los sueños, porque si no les prestamos atención no serán más que una «espuma que se desvanece en la nada». Por tanto, es muy importante empezar por aprender a recordar los sueños con la mayor precisión posible. Solamente cuando sea capaz de recordar sus aventuras nocturnas con todo lujo de detalles podrá adentrarse en el arte de la interpretación de los sueños. Y no le será difícil conseguirlo si antes ha estudiado la forma de comprender el curioso lenguaje onírico.

Cómo recordar fácilmente los sueños

«En los sueños entramos en contacto con nuestros sentimientos, nuestros recuerdos, nuestras esperanzas y nuestros temores, y todo esto lo transmitimos a las generaciones venideras en forma de historias».
Isabel Allende (escritora chilena)

Todos soñamos, pero a algunas personas les es difícil recordar sus sueños. Sin embargo, en un par de semanas es posible aprender a recordar perfectamente todo lo que soñemos.

Si usted sigue atentamente las indicaciones que damos en este capítulo, le será fácil recordar por lo menos un sueño cada noche. Y esto ya es suficiente para poder trabajar bien con los sueños.

También existen métodos para lograr recordar todos los sueños. Pero no me parecen muy útiles porque por regla general no disponemos del tiempo necesario para trabajar cada día con los cinco sueños que, de promedio, solemos tener cada noche.

No deje que sus sueños se conviertan en motivo de estrés, y no intente forzar su recuerdo.

Sueños que todos recordamos

Por suerte, hay algunos sueños de los que todos nos acordamos fácilmente. Entre ellos se cuentan los sueños de importancia existencial. Si recuerda pocos sueños, puede estar seguro de que aquellos de los que sí se acuerda son de una gran importancia para usted. Normalmente son sueños que contienen algún mensaje urgente. Esfuércese por entender esos sueños, ¡vale la pena!

Cuanto más real y vivo sea un sueño, más fácil será recordarlo. Y esto es algo que sucede siempre que intervienen muchos sentimientos. Son sueños muy emotivos y que «se cuecen» en lo más profundo de su ser. Si usted está equilibrado, soñará una sucesión regular de imágenes que no le inquietarán. Son sueños que difícilmente permanecerán en la memoria.

Cuando se tienen sueños muy inquietantes, como por ejemplo las pesadillas, es fácil que uno se despierte súbitamente.

Cuanto más largo e intenso sea un sueño, mejor se conservará en la memoria

Así es seguro que uno se acordará de esos sueños, que suelen ser portadores de importantes mensajes. Intentan indicarle una vía de curación, advertirle de conductas autodestructivas y darle la esperanza de que todo acabará tomando un rumbo positivo.

SUGERENCIA

No espere a que su problema llegue a agravarse hasta el punto de que empiece a tener sueños inquietantes y pesadillas (pág. 81). Los sueños más normales ya suelen proporcionarle muchas indicaciones útiles para solucionar la situación antes de que el problema se complique. Por tanto, es muy útil poder recordarlos con precisión.

Querer recordar sin presiones

El que pueda acordarse o no de sus sueños es algo que dependerá de la posición mental que usted adopte. ¡Tómese sus sueños en serio! Pero no se lo imponga a la fuerza ni se empeñe en recordarlo todo cueste lo que cueste. Es importante que usted desee recordar sus sueños, pero no se someta a presión por ello. Las presiones y las obligaciones no hacen más que empeorar su capacidad para recordar.

El principio de la voluntad ligera

En todo lo relacionado con los sueños siempre se suele poder aplicar esto: oriente su voluntad en la dirección correcta, pero luego déjela otra vez suelta. Es lo que yo denomino el *principio de la voluntad ligera*.

▸ Cada día, dedique unos minutos de la mañana y de la tarde a proponerse que quiere poder recordar sus sueños. También puede imaginar que al despertarse por la mañana va a acordarse de lo que ha soñado (ver también «Afirmaciones», pág. 72).

Deles a sus sueños la importancia que se merecen, pero sin exagerar

Al realizar este sencillo ejercicio es importante volver a abandonar el propósito de recordar los sueños... ¡especialmente por la noche!

No se vaya a dormir empeñado en recordar lo que sueñe. Después de hacerse ese propósito, olvídese de él y piense en cualquier otra cosa.

La posición interna

▸ Plantéese de vez en cuando por qué quiere recordar sus sueños.

En mis grupos de alumnos y pacientes he encontrado los motivos más diversos: a unos les distraen sus sueños y disfrutan de ellos como si fuesen

¿Por qué
quiere
acordarse?
al cine, mientras que otros desean obtener nuevas perspectivas para sí y para sus vidas. Sea como sea, lo importante no es la respuesta a la pregunta, sino la forma de planteársela.

La forma de despertarse es decisiva

Empezaré por la forma de despertarse, porque mi experiencia me ha enseñado que las dificultades para recordar los sueños suelen tener su origen en un modo erróneo de despertar. Es muy raro que el olvido de los sueños se deba a problemas psíquicos, lo más frecuente es que se deba a malas costumbres que, afortunadamente, son bastante fáciles de corregir.

Tómese su tiempo por la mañana

Tómese algo de tiempo después de despertarse y procure levantarse con calma.

Dar con el
punto óptimo

Al despertarnos nos encontramos en una especie de estado mental neutro en el que nos es fácil concentrarnos y en el que la mente es difícil que se distraiga. Aproveche este momento idóneo para intentar recordar sus sueños; es el instante en que le costará menos hacerlo.

La importancia del despertador

Los
despertadores
con tonos nos
despiertan de
un modo
menos
agresivo

La forma de despertarse influye mucho en la capacidad para recordar los sueños. La mayoría de las personas emplean un despertador, lo cual no suele influir negativamente en el recuerdo de los sueños, siempre y cuando se trate de uno que emita tonos o pitidos. Incluso se ha comprobado que los pitidos a intervalos despiertan de una manera bastante suave. Los ruidosos despertadores tradicionales y los despertadores con radio (pág. 24) no son muy recomendables.

▶ En principio, lo único que ha de hacer es mantenerse completamente pasivo cuando se despierte. Por tanto, no apague inmediatamente el despertador. No sólo porque entonces el riesgo de volver a dormirse sería demasiado grande, sino también porque así los pitidos le hacen volver repetidamente a la realidad y al estado consciente. Al comprar uno de estos despertadores, elija uno que no tenga un sonido demasiado intenso ni demasiado agudo y que tenga unos intervalos entre tonos algo prolongados (muchos de mis clientes encuentran muy agra-

El despertador
ideal

SUGERENCIA

Diario de sueños

Para recordar los sueños resulta muy útil escribirlos en una libreta. Para ello basta con efectuar algunas anotaciones esquemáticas.

• El solo propósito de documentar los sueños ya actúa como estímulo. Por tanto, ponga un cuaderno y un lápiz en la mesita de noche –algunos prefieren un dictáfono.

• Antes de anotar el sueño es mejor que lo repase mentalmente dos veces. Así evitará que mientras lo esté escribiendo se le olviden algunas partes importantes.

• Procure apuntar todo lo que haya visto en sueños, lo que haya experimentado y lo que haya sentido –en presente y en primera persona, sin interpretaciones (pág. 50 y ss.).

• Para finalizar, apunte también, aunque sólo sea de forma esquemática, la sensación que ha tenido al despertar y cuáles han sido sus primeras asociaciones e interpretaciones.

Importante: Considero que para poder trabajar los sueños es muy importante llevar un diario y mantenerlo al día, y no sólo por el influjo positivo que ejerce en el recuerdo de los sueños, sino también porque los aspectos psicológicos solamente son útiles a la larga sólo si van siendo anotados.

Es muy importante llevar un diario

dable que su despertador emita los pitidos con un intervalo de unos cinco segundos).

▶ Si cada día se tiene que levantar a la misma hora es posible que le cueste poco activar su «despertador interno». Todos nosotros poseemos un reloj biológico que funciona con gran precisión. Este reloj interno se activará como despertador cada vez que nos propongamos firmemente despertarnos a una determinada hora. Casi todo el mundo puede conseguirlo después de ejercitarlo durante un par de días, siempre y cuando no se vaya a dormir estando demasiado cansado. Las personas nerviosas es preferible que sigan empleando el despertador «por si acaso», porque de lo contrario podrían tener tendencia a depertarse demasiado pronto.

Aproveche su «despertador biológico»

Evite los cambios repentinos

Las prisas y el estrés influyen muy negativamente en la capacidad para recordar los sueños. Y lo mismo sucede con cualquier estímulo que se reciba inmediatamente después de despertar.

▶ Por tanto, si en cuanto se despierta sale de la cama de un salto, sus recuerdos de los sueños de desvanecerán del mismo modo que si hubiese realizado cualquier otro movimiento súbito.

Esto borra su memoria

▶ Si por la mañana se despierta con la radio, las nuevas informaciones –y recuerde que por «informaciones» no entendemos solamente las noticias, sino también la música– harán que se desvanezcan los recuerdos de todo lo que haya podido soñar por la noche.

▶ Tampoco es conveniente que mire directamente a la luz cuando acabe de despertarse. Si la ventana de su dormitorio no tiene persianas, postigos o cortinas gruesas, es mejor que no empiece por dirigir la vista hacia ella. Mirar directamente a la luz nos hace entrar en la realidad cotidiana de una forma demasiado rápida y brusca, con lo que se borra cualquier recuerdo de sueños nocturnos.

Recójase en sí mismo

▶ Lo mejor es que cuando se despierte permanezca todavía un par de minutos acostado y con los ojos cerrados. Analice tranquilamente sus pensamientos y sus sensaciones. Si ahora no recuerda espontáneamente ningún sueño, retroceda por lo que en estos momentos se le pase por la cabeza. ¿Qué había pensado antes de esto?, ¿y anteriormente? De esta forma es posible que pueda seguir una cadena de pensamientos retrospectivamente hasta llegar a su sueño.

Pensamientos encadenados

Si a pesar de todo esto sigue sin poder recordar ningún sueño –lo cual es bastante improbable– dese lentamente la vuelta hasta apoyarse sobre el costado sobre el que acostumbra a dormir (y a soñar). Es frecuente que esta posición le ayude a recordar lo que ha soñado, ya que los recuerdos y la posición del cuerpo están muy ligados entre sí.

No se ponga a planificar el día inmediatamente

▶ Si desde que se despierta empieza a programar ya toda su actividad del día que empieza, le va a ser muy difícil recordar lo que ha soñado durante la noche. Es recomendable planificar tranquilamente el día desde primera hora de la mañana, pero hágalo *después* de haber recordado lo que ha soñado y, preferiblemente, después de haberlo anotado en su cuaderno.

¡Uno detrás de otro!

Establezca una rutina matinal

Así podrá empezar el día en plena forma. Yo suelo recordar fragmentos de mis sueños mientras me ducho y cuando realizo mi aseo personal; a

Otros modos de acordarse

otras personas les sucede mientras disfrutan de un buen desayuno.

▶ Sea lo que sea que considere más importante por la mañana, tómese el tiempo necesario para ello. Si se acostumbra a levantarse unos diez minutos antes, esta pequeña incomodidad no sólo le será de gran ayuda para recordar los sueños sino también a lo largo de todo el día.

No albergue demasiadas esperanzas

Esperar obtener resultados demasiado buenos no hace más que dificultar el recuerdo de los sueños.

▶ Si solamente espera poder disfrutar de verdaderos «largometrajes», lo más probable será que acabe pasando por alto los sueños cortos y los episodios breves. Y cualquiera de estos pequeños recuerdos también tiene su impor-

Los sueños fraccionados también son importantes

tancia (pág. 63). Recordar un episodio o una pequeña parte de un sueño suele ser muy útil para acordarse de otras partes del sueño. Y aún en el caso de que esto no ocurriese, unas pocas escenas siempre es posible que tengan un gran significado.

Esto se debe a que el sueño tiene una estructura holográfica. Es decir, que cada elemento individual del sueño expresa el significado del sueño completo. Sin embargo, cuanto menor sea el fragmento, menos definido estará su significado. Aunque usted solamente se acuerde de un símbolo, puede deducir a partir de él el significado de ese sueño que casi ha olvidado.

Aproveche los momentos favorables: los sueños se recuerdan mejor al levantarse

La forma ideal de dormirse

Si durante algunos días ha ido siguiendo las reglas indicadas para des-

Dormirse relajadamente ayuda a recordar

pertarse y todavía sigue sin poder recordar lo que ha soñado, entonces será mejor que compruebe su forma de irse a dormir, ya que ésta también puede ser la causa de que no se acuerde de sus sueños.

Al dormirnos nos apartamos de nuestro estado consciente diurno para entrar en un estado de consciencia totalmente distinto. Cuanto menos nos cueste alejarnos de la realidad cotidiana, más suavemente nos dormiremos. Y cuanto más suave y relajadamente nos durmamos, más fácil nos será recordar lo que hemos soñado. Recuerde que la forma de despertarse depende siempre de la forma de dormirse.

Relajado y sin problemas

Es sabido que tener la conciencia tranquila es lo que más ayuda a relajarse. Por tanto, procure irse a dormir estando lo más relajado posible.

No se lleve las preocupaciones a la cama

▶ Cuando se meta en la cama, no empiece a dar vueltas a sus problemas. ¡La cama no es precisamente el lugar idóneo para ocuparse de ellos! Si tiene preocupaciones, temores o angustias, no siga pensando en ellas. Procure leer un libro divertido o entretenido (pág. 72) que le permita dejar todo lo demás de lado.

Las preocupaciones alteran el sueño

▶ Si de todos modos no logra que sus preocupaciones le dejen en paz, entonces levántese. Encienda las luces de la habitación y escriba en un papel todo aquello que le preocupa. Luego vuelva a la cama y duérmase relajadamente.

Cosas que le sentarán bien

▶ Antes de irse a dormir, dese un baño caliente y tome una infusión relajante, como por ejemplo melisa o hierba de San Juan. Esto ayuda incluso a las personas más nerviosas.

▶ A muchas personas también les sienta muy bien una bebida relajante a

IMPORTANTE

Casi una cuarta parte de los europeos sufren alteraciones del sueño. Si usted se encuentra entre ellos, no cometa el tremendo error de recurrir a fármacos para dormir.

Casi todos estos medicamentos alteran notablemente su ritmo natural del sueño, y suelen hacerlo a largo plazo.

Las personas que toman somníferos no suelen recordar sus sueños.

Algunos somníferos incluso inhiben algunas fases del sueño, o las acortan mucho (como sucede cuando se abusa del alcohol).

Las alteraciones del sueño hay que tratarlas con la ayuda de un psicoterapeuta, y no con medicamentos.

Un baño caliente
o un vaso de
leche pueden ser
de gran ayuda

base de leche. Hierva leche con una cucharadita de semillas de hinojo, cuélela y añádale un poco de miel. Le ayudará a distanciarse de los problemas y estímulos de la vida cotidiana a la vez que le proporcionará los más hermosos sueños.

Relájese

▶ Si le cuesta mucho desconectarse será mejor que antes de irse a dormir practique algunas técnicas de relajación. Puede emplear el entrenamiento autógeno, la meditación o la relajación muscular progresiva.

▶ Si no domina ninguno de estos métodos de relajación, acuéstese, cierre los ojos, y dígase a sí mismo: «Estoy muy tranquilo, estoy muy relajado». Repítaselo unas diez veces y note cómo realmente se va relajando de una forma cada vez más profunda. Si se duerme durante este ejercicio, estupendo. Si no, lea durante un rato. Pero nada excitante, ni novelas de intriga.

«Estoy muy
tranquilo...»

Lea algo agradable antes de dormirse

▶ Leer antes de dormirse es algo que ejerce una acción muy positiva en los sueños. Y esto se debe a que al leer o al escuchar una narración nos la imaginamos en imágenes. Es una forma de pasar progresivamente al mundo de los sueños. Al contrario de lo que sucede al ver una película o un programa de televisión, estas imágenes se crean en nuestro interior del mismo modo que las de los sueños.

▶ Procure evitar ver la televisión poco antes de irse a dormir. No sólo porque la mayoría de los programas nocturnos no se merecen que uno pierda el tiempo con ellos, sino porque alteran nuestra capacidad natural para acordarnos de los sueños. Y esto hay que tenerlo en cuenta especialmente con los niños.

La televisión
dificulta el
recuerdo de
los sueños

El justo punto de cansancio

▶ Uno de los factores que más nos impiden acordarnos de los sueños es irnos a la cama excesivamente cansados. En esos casos, al levantarnos tenemos la sensación de haber dormido «como un leño» y somos incapaces de recordar ningún sueño. Pero irse a la cama estando aún en plena actividad (sin estar cansados) también dificulta el recuerdo de los sueños. Como casi siempre en la vida, lo mejor es optar por una solución intermedia: váyase a la cama cuando tenga bastante sueño.

Sin excederse

Influencia
del alcohol,
el tabaco
y la comida

▶ Abusar del alcohol y del tabaco también influye muy negativamente en la capacidad para recordar los sueños, pero si se consumen con moderación apenas afectan.

▶ No se vaya a dormir con el estómago lleno. La cena ha de ser ligera y hay que tomarla por lo menos cuatro horas antes de irse a la cama. Lo ideal sería salir a dar un corto paseo después de cenar.

En la cama

La posición adecuada

Si a veces le cuesta recordar sus sueños, intente cambiar su posición habitual en la cama. Un paciente mío consiguió estupendos resultados con sólo invertir 180° su posición en ella, es decir, poniendo la cabeza donde antes ponía los pies. Este pequeño truco puede ser especialmente útil para los que tengan alteraciones del sueño durmiendo en la posición habitual, lo cual hace que raramente se acuerden de lo que han soñado.

La postura es muy importante

La distribución del dormitorio y de la cama

La cama y el dormitorio también pueden ayudar mucho a que uno se duerma relajadamente. Las personas que se sienten a gusto en su dormitorio recuerdan más fácilmente sus sueños.

▶ Un dormitorio acogedor, ordenado y bien ventilado no sólo permite dormir de forma saludable, sino que ayuda a recordar los sueños. La cama ha de ser un lugar acogedor y en el que uno se sienta a gusto. Recién hecha, con sus sábanas favoritas; así invita a un sueño relajado y armonioso.

▶ La decoración del dormitorio y los colores de éste y de las sábanas también influyen en los sueños y en el modo de dormir. Lo ideal es que no haya grandes superficies de color rojo chillón y tonos similares, dado que éstos

Unas sábanas agradables invitan a irse a la cama

excitan en vez de relajar. Lo ideal es que la ropa de cama sea de tonos azulados o violetas.

▶ Se cree que la «contaminación electromagnética» influye negativamente en las diversas fases del sueño. Recientemente se ha comprobado que la acción de los campos magnéticos puede llegar a inhibir la producción de la hormona melatonina, que es la que regula el sueño y sus fases. Procure reducir todo lo posible la contaminación electromagnética en su dormitorio: no deje ningún aparato conectado en «stand by», no emplee un despertador enchufado a la red, no deje el teléfono móvil en la mesita de noche, etc. La cama deberá estar por lo menos a un metro de distancia del enchufe más cercano.

Desconectar la contaminación electromagnética

Vivir más conscientemente

Hay que educar la percepción

Su capacidad de recordar también dependerá de la forma en que actúe durante el día. Cuanto más consciente sea durante el día y más consciencia tome de sí mismo y de su entorno, más fácil le será recordar sus sueños.

Un ejercicio de percepción, tres veces al día

▶ Dado que una buena capacidad de observación siempre será de gran ayuda para recordar los sueños, debería adoptar la costumbre de observar atentamente su entorno por lo menos tres veces al día. Fíjese bien en lo que le rodea, perciba todos sus estímulos y luego cierre los ojos durante unos momentos. Intente imaginar con el mayor detalle posible todo lo que ha visto y percibido durante su observación. Luego abra los ojos, y compruebe cuáles eran las diferencias entre lo que usted recuerda y lo que hay en realidad.

Ejercitar la capacidad para acordarse de los sueños

Este sencillo ejercicio, que no ha de durar más de dos minutos, ejercitará su capacidad para recordar los sueños mejor y con más detalles.

Al realizar este ejercicio, no se preocupe si al principio sus recuerdos no coinciden demasiado con la realidad.

No sé lo que significa...

Si en sueños un hombre por el paraíso andar pudiera
y como prueba de que realmente había estado allí
su alma una flor recibiera,
si al despertar realmente tuviera la flor en la mano... ¿entonces qué?
Samuel Taylor Coleridge (poeta inglés, 1772-1834)

Por qué no solemos entender nuestros sueños

El sentido de los sueños no siempre está muy claro

Muchas veces recordamos un sueño, pero sus imágenes nos parecen difusas y totalmente incomprensibles. El sueño es algo así como un retroceso, dado que ve los sucesos habituales y superficiales de la vida cotidiana desde el lugar más profundo de la psique. Este significado del sueño, por muy preciso que sea, no será siempre el que vayamos a intentar esclarecer al buscar su interpretación.

No es conveniente empeñarse en buscar un significado a las imágenes que se nos aparecen en los sueños. La interpretación de los sueños es como un juego, y su significado no se obtiene a base de insistir.

Cuestión de planteamiento

● El primer paso para acercarse a un sueño consiste en dejarse fascinar por sus aspectos misteriosos, raros, divertidos y refinados sin darle demasiada importancia a todo, pero tampoco considerándolo todo como una locura.
● Nuestros sueños suelen parecernos incomprensibles porque se expresan en un lenguaje extraño. Es el lenguaje de los símbolos visuales que veremos con más detalle a lo largo de este capítulo.
● El principal error en la interpretación de los sueños consiste en asociar sus distintos elementos a la realidad y no a símbolos. Esto significa, por ejemplo, que si se nos aparece un niño en sueños es probable que no debamos interpretarlo como la presencia de ese niño en concreto sino la de la energía infantil. Si tomamos las imágenes oníricas como si fuesen reales, la mayoría de los sueños nos parecerían tan surrealistas e incomprensibles como los cuadros de Salvador Dalí (1904-1989).

Representación de nuestro propio interior

■ Los sueños suelen simbolizar nuestros sentimientos y nuestras angustias. Todo lo que vemos en sueños no son más que reflejos de nuestro propio interior (pág. 35).

El lenguaje de los sueños

El sueño nos habla en una lengua que desconocemos, pero que podemos aprender con bastante facilidad porque no nos es del todo extraña. Es una lengua que en otro tiempo llegamos a dominar –cuando eramos niños y vivíamos en un mundo mágico.

Al hacernos adultos olvidamos esta forma de ver el mundo y sus formas de expresión. La perdemos para optar a un lenguaje concreto

Opuesto y complementario de nuestro habitual modo de expresión

Salvador Dalí: Sueño provocado por el vuelo de una abeja alrededor de una granada

y práctico que nos permita expresar conceptos abstractos de una forma lo más breve y concisa posible. Por tanto, adquirimos un lenguaje que es exactamente lo opuesto al idioma de los sueños, que ni es objetivo o conciso, ni puede expresar los conceptos abstractos con claridad y precisión.

Lenguaje directo o simbólico

Podríamos decir que el lenguaje de la vida cotidiana y el de los sueños se complementan. Esto se debe a que el lenguaje que empleamos en la vida cotidiana suele hacer referencia a mundos externos, mientras que el de los sueños es un modo de expresión de nuestros mundos internos. El lenguaje de la vida cotidiana es un lenguaje directo; el del sueño se manifiesta mediante símbolos. Está más cerca del arte.

Para ver claramente esta diferencia entre lenguaje directo y lenguaje simbólico basta con que nos fijemos en la frase «Afuera está lloviendo». En nuestro lenguaje cotidiano se tratará de una afirmación. Puedo asomarme a la ventana y comprobar inmediatamente si es cierta o no.

Pero en los sueños es totalmente distinta. Si en sueños vemos que llueve, sería tonto creer que se trata de una advertencia para que mañana no nos olvidemos el paraguas en casa.

El sueño es una locura retrospectiva, ya que penetra el sentido habitual de las cosas hasta el plano más profundo de la mente

El lenguaje de los sueños recurre a parábolas. Es decir, que sucede algo en nuestro interior que es *como* la lluvia. Se trata del llover, no de la lluvia en sí como fenómeno meteorológico. Se trata de la lluvia psíquica, de la tristeza y del llanto, pero que también puede simbolizar la limpieza, la fecundidad y la relajación.

Trabajando con símbolos

Símbolos. Imágenes que nos envía la mente

Considero que el lenguaje de los símbolos es la única lengua extranjera que todos deberíamos aprender.
Erich Fromm (Psicoanalista, 1900-1980)

Los sueños hay que comprenderlos como simbólicos, a excepción de los poco habituales sueños de advertencia (pág. 36). Pero también estos sueños tienen un plano simbólico.

El sueño nos habla con parábolas

■ La regla básica para trabajar con símbolos es ésta: No tenga miedo de los símbolos, la mayoría son mucho más fáciles de entender de lo que pueda parecer a simple vista.

Nuestra inteligencia onírica emplea este lenguaje de símbolos para expresarse con imágenes que corresponden a nuestros sentimientos.

Estas imágenes son como ideogramas –un símbolo contiene toda una historia, y una sola de estas imágenes puede lograr nuestra comprensión espontánea porque nos afecta en un plano emocional muy profundo.

Hay que encontrar un significado personal

Así como una palabra puede tener varios significados, los símbolos también pueden expresar cosas distintas.

El significado básico es igual

La mayoría de los símbolos tienen un significado que nos es común a todos. En un mismo entorno cultural, la mayoría de las personas los interpretarán espontáneamente del mismo modo.

Pero además de ese significado común puede existir un significado personal que varíe de una persona a otra.

El símbolo onírico agua suele hacer referencia a los sentimientos de las personas; esta interpretación procede de la profundidad y el movimiento de las aguas. Pero el hecho de que la aparición del agua en los sueños ten-

Ejemplo «agua»

Interpretación de los símbolos en cuatro etapas

Los detalles son decisivos para la interpretación. Precisamente éstos son los que pueden ayudarle a determinar cuál es exactamente el significado de un símbolo concreto en sus sueños. Lo mejor es proceder de la siguiente forma:

Reconocer el significado general

1 Empiece por buscar el significado genérico del símbolo (pág. 38). Por ejemplo, el símbolo coche suele hacer referencia a la movilidad. La primera interpretación del símbolo coche es que se trata de una ayuda para desplazarnos rápidamente de un lugar a otro.

Tener en cuenta las particularidades

2 En la segunda etapa nos fijaremos más en sus particularidades. Una de mis pacientes soñaba siempre con un camión azul que avanzaba lentamente. Este peculiar vehículo indica que la movilidad está restringida, que llevamos demasiado lastre con nosotros. Y este lastre nos impide desplazarnos con agilidad. Uno se desarrolla con lentitud. El campo en el que se produce este lento avance es el de los sentimientos, siendo el color azul el que nos indica que se trata de un plano emocional (pág. 54).

Establecer la relación actual

3 En la tercera etapa, pregúntese a usted mismo por qué ha soñado hoy precisamente con este símbolo. ¿Qué significado tiene en mi vida actual?

La paciente a la que me refería anteriormente hacía tiempo que había sido abandonada por su marido, pero no era capaz de aceptar esa separación. Éste era el lastre que le impedía progresar. El hecho de estar siempre pensando en su marido no le dejaba progresar en la vida. Este símbolo apareció justo en el momento en que otro hombre empezó a ocuparse de ella.

Aplicar los mensajes

4 La última etapa consiste en aplicar a la vida cotidiana las enseñanzas de los símbolos de los sueños. En nuestro ejemplo, la mujer tendría que «descargar el camión». Es decir, tendría que abandonar la esperanza de reanudar la relación anterior.

Como verá, aquí el camión se ha convertido en un símbolo. Su significado más profundo es el que realmente le dice algo a la mujer. Ella seguía creyendo que tendría que seguir preocupándose de su marido para conseguir que volviese. Sus sueños le indicaban que en su interior no estaba conforme con esa solución. Hizo bien en seguir sus consejos.

ga un significado positivo o negativo para una persona en concreto dependerá de si ésta tiene miedo o no de sus propios sentimientos. Naturalmente, también influirán mucho cuáles sean las experiencias relacionadas con el agua que ésta haya vivido.

En este ejemplo vemos claramente lo importante que es tener en cuenta los sentimientos que despierte cada símbolo en el soñador.

Las sensaciones nos conducen a una comprensión personal

■ Las primeras cuestiones que nos planteamos al intentar interpretar un sueño suelen ser: ¿Cómo me he sentido durante las distintas etapas del sueño? ¿Que sentimientos se despiertan espontáneamente en mí al ver determinado símbolo?

Reconocer el significado más profundo

Los símbolos siempre tienen un significado profundo. Y al decir esto no me refiero al objeto en sí, sino a algo distinto que se expresa desde su interior. Algo que nos es conocido, como por ejemplo el agua, se relaciona con algo desconocido. Esto que desconocemos procede de los estratos más profundos de nuestro inconsciente, de allí donde surgen los sueños. Por tanto, en cada sueño encontraremos algo que nos es conocido junto a algo que no lo es.

Buscar lo desconocido

Si en un sueño solamente encuentra cosas que conoce, siga buscando. A través de su simbología, los sueños intentan comunicarle algo que usted aún desconoce. Esto es lo que hace que sea tan provechoso trabajar con los sueños: nos muestran cosas nuevas y desconocidas.

¿A qué o a quién se refieren?

Cada símbolo onírico tiene un significado objetivo y un significado subjetivo que generalmente se complementan.

Interpretación objetiva o subjetiva

■ Para la interpretación subjetiva, pregúntese cuáles de sus características personales pueden manifestarse con ese símbolo.

Para la interpretación objetiva, pregúntese qué relación pueden tener el símbolo o el sueño con su vida habitual.

La interpretación subjetiva: la referencia del yo

En la interpretación subjetiva, cada símbolo representa una de las ca-

Si solamente comprende un sueño tal y como es, pero no entiende su simbología, no llegará a captar su significado

El símbolo onírico «...en mí»

racterísticas propias de usted mismo. Por tanto, después de cada símbolo onírico podrá añadir mentalmente «en mí». Tomemos por ejemplo el símbolo «niño» que habíamos visto al principio de este capítulo. En este caso, deberá buscar el «niño que hay en usted».

También podemos considerar la psique de la persona como una unión de muchos yos que conviven en ella y que a veces incluso se enfrentan entre sí. La mayoría de los símbolos oníricos que se manifiestan en forma de personas hacen referencia a uno de estos yos. En los sueños, como en la vida real, solamente nos vemos a nosotros mismos cuando nos enfrentamos a lo incomprensible.

Si quiere comprender sus sueños de una forma rápida y a la vez profunda, empiece por la interpretación subjetiva. Ésta le mostrará cuál es la relación con su persona y a la vez le indicará qué es lo que el sueño intenta mostrarle.

■ Todos los sueños poseen un significado subjetivo, y generalmente es mucho más importante que la interpretación objetiva.

La interpretación objetiva: la referencia de la vida cotidiana

En la interpretación objetiva partimos de la base de tomar un elemento del sueño, no como símbolo, sino como lo que realmente es. En este ca-

El elemento
onírico «...como
lo que es»

so, el «niño» sería realmente un niño. Es decir, se sueña con una relación que realmente se vive a diario con esa persona. Si usted sueña que ataca a su jefe, esto representa que está intentando librarse de las tensiones que esa persona le provoca.

■ No todos los sueños tienen un significado objetivo. Si usted empieza por intentar encontrar un significado objetivo a los símbolos de sus sueños, en la mayoría de las ocasiones no les encontrará ningún sentido y no hará más que liarse. La interpretación subjetiva se relaciona directamente con nuestro plano emocional, mientras que la interpretación objetiva corre el riesgo de limitarse a lo racional. Y un símbolo onírico nunca se puede comprender solamente con el intelecto.

Siempre ha de
prevalecer la
interpretación
subjetiva...

El sueño de alerta

La única excepción a la regla de «interpretación subjetiva antes que objetiva» es la que nos plantean los sueños de alerta o de advertencia. En estos sueños (que son muy frecuentes), el significado es realmente lo que se muestra. Es decir, el sueño no nos habla en lenguaje de símbolos. Estos sueños se diferencian de los sueños simbólicos por lo siguiente:

...excepto en
los sueños de
advertencia

Características
propias

- No se olvidan, sino que dan vueltas por nuestra cabeza durante bastante tiempo (aunque no los anotemos ni se los expliquemos a nadie).
- Se suelen recordar con gran profusión de detalles, y generalmente incluso en color.
- Nos afectan mucho a nivel emocional (por esto los recordamos tan bien). Los sueños de advertencia suelen ser pesadillas.

Suele tratarse
de un aviso para
otros

Cuando los sueños de alerta aparecen con frecuencia, es raro que intenten prevenir al propio soñador. Los estudios efectuados al respecto nos indican que generalmente contienen una advertencia para otra persona, especialmente para un ser querido.

El hecho de que el sueño solamente acepte una interpretación objetiva –que es lo que caracteriza a los sueños de alerta– es algo que solamente puede afirmarse con seguridad a posteriori, es decir, cuando ya ha sucedido aquello de lo que el sueño nos estaba avisando.

El problema es que si usted quiere advertir a una persona querida de lo que ha soñado lo más probable es que le pase como a Calpurnia, la se-

Sueños de muerte

Cuando se sueña con la muerte nunca se trata de la propia. Estos sueños hay que considerarlos como sueños simbólicos: usted deberá desprenderse de una de sus peculiaridades (morir) para hacerle sitio a una nueva.

Cuando se sueña la muerte de un ser querido, suele ocultarse un significado subjetivo: suele tratarse de una agresión contra esa persona que no acaba de manifestarse y que por eso se disfraza de muerte en sus sueños.

▶ Después de un sueño así debería analizar si se ha enturbiado su relación con esa persona. Coménteselo con sutileza. Si no encuentra ningún motivo, intente encontrar un significado subjetivo a ese sueño. ¿Qué simboliza la persona muerta o que se está muriendo? ¿Quién debe-

rá cambiar de actitud porque hace algo que a usted le resulta molesto?

▶ Si no encuentra respuesta para estas preguntas deberá empezar a considerar que quizá se trate realmente de una advertencia.

En este caso no tendrá más remedio que comentarlo con la persona que ha visto en sueños y prevenirla.

¡Sea muy prudente cuando le hable a alguien de que ha soñado una posible advertencia! Si se trata de alguien que está pasando por una situación especialmente crítica es posible que una advertencia de este tipo no haga más que aumentar su inseguridad, incluso es posible que llegue a enfadarse. Y, antes de que suceda el hecho que ha soñado, usted tampoco podrá estar seguro de si realmente se trata de una advertencia.

Una relación simbólica con el yo, o una agresión «camuflada»

gunda mujer de Julio César. Ella soñó que César iba a ser asesinado e intentó evitar que su marido acudiese al Senado durante los Idus de Marzo. César –como la mayoría de hombres en esa situación– creyó que esa advertencia no era más que una tontería. Y en el fondo tenía razón, porque la mayoría de los sueños que tomamos por sueños de advertencia no tienen de ningún modo un significado objetivo.

La pesadilla de Calpurnia

Símbolos frecuentes en los sueños

La siguiente selección de símbolos oníricos servirá para darle una idea de cómo se pueden interpretar.

¿Qué interviene en los sueños?

Los cuatro elementos

Los cuatro elementos tienen un significado simbólico y aparecen en muchos sueños. El agua representa los sentimientos; la tierra, el contacto con el suelo (la forma en que uno actúa en la vida cotidiana); el fuego, la pasión, y el aire, el intelecto.

El agua representa los sentidos

• En el *agua* hay que fijarse mucho en cuál es el tipo de contacto que se establece. En sus sueños, el nadador se deja llevar por sus sentimientos. La persona que en sueños solamente ve el agua de lejos es señal de que se siente alejada de sus propios sentimientos. La claridad y los movimientos del agua también simbolizan el estado emocional del soñador.

La tierra representa lo terrenal

• El símbolo onírico *tierra* suele aparecer en forma de montaña o de campo de cultivo. La montaña representa lo inamovible, quizá también un obstáculo. El campo, por el contrario, nos ofrece los frutos de la huerta y representa los resultados de nuestro trabajo y nuestros esfuerzos.

El fuego representa la pasión

• El *fuego* generalmente se nos aparece en sueños en forma de relámpago o de incendio. Desde la antigüedad se considera que el relámpago simboliza la fecundación accidental, mientras que el incendio puede tener diversos significados. Si queremos precisar más el tipo de pasión, habrá que ver qué es lo que se quema. Esto suele advertirnos de que hay algo que corre el riesgo de quemarse por la pasión.

El aire representa el intelecto

• Al igual que en la realidad, en los sueños el *aire* puede manifestarse de diversas formas. Los dos extremos son el aire en calma y la tempestad huracanada. Es una referencia a la envergadura el intelecto: puede ser rígido o muy amplio de miras.

El bosque

Al igual que en los cuentos, los bosques que se nos aparecen en sueños son lugares en los que domina lo desconocido, el inconsciente. Por esto es tan fácil perderse en el bosque y encontrarse animales salvajes y todo tipo de predadores que simbolizan partes suplantadas. El bosque es como nuestro inconsciente: está lleno de misterios y sorpresas. Cuando el soñador logre asimilarlas, crecerá con ellas. Así como el inconsciente siempre constituye el origen del consciente, el bosque también simboliza que debemos ser conscientes de nuestros orígenes. Este símbolo suele aparecer con más frecuencia cuanto más artificial sea nuestro modo de vida, cuanta más importancia demos al éxito personal, el reconocimiento y el prestigio social.

Un estímulo para concienciarnos de nuestros orígenes

Animales

Todo el mundo sueña alguna vez con animales. Según el filósofo griego Platón (427-347 a.C.), en cada persona vive un animal salvaje y sin ley que se manifiesta en sueños.

En los sueños infantiles, los animales desempeñan el papel de «otras personas»: simbolizan las facultades y los temores del niño.

En los niños se interpreta de un modo distinto al de los adultos

En los adultos, cuando aparece un animal en sueños hay que tomarlo como «el lado animal» de la persona. Por este motivo, las personas débiles y cobardes sueñan con animales domésticos, mientras que las personas liberadas y creativas suelen soñar con animales salvajes.

Cuando usted sueña que se encuentra con un animal, es que necesita hacer un repaso a sus facultades y características personales. O le faltan algunas o las que posee son demasiado unilaterales o demasiado acusadas. Por tanto, cuando sueñe con un animal lo mejor que puede hacer es informarse a fondo acerca de las características y modo de vida de ese animal con el que se identifica.

Al igual que en los cuentos, en los sueños el bosque también es el lugar en el que habita lo desconocido (inconsciente)

Es frecuente que en las pesadillas soñemos con que nos ataca algún animal. Muchas veces intentan mordernos, lo que significa que debemos rendirnos ante esa fuerza, o que vamos a hacer que se rinda.

Faltan características propias, o son demasiado manifiestas

- Las *aves*, como seres del aire, representan principalmente la visión y los altos vuelos de la mente o del intelecto.
- Los *peces*, como seres acuáticos, representan estímulos y sensaciones difíciles de capturar. También pueden representar el frío.
- Los *predadores* hacen alusión a nuestras agresiones.
- Las *serpientes*, que siempre hay que interpretarlas como un símbolo sexual, representan nuestras energías vitales más salvajes y nuestra capacidad de cambio (la muda de la serpiente). La repulsión a las serpientes simboliza el miedo a nuestras propias energías salvajes.

Símbolo del mundo de las tinieblas

- La *araña* simboliza la astucia mortal. Teje una telaraña casi invisible con la que atrapa a sus presas para succionarlas en vida. En los sueños, las arañas suelen expresar la maldad, la perfidia, lo inevitable y con ello las zonas más oscuras y profundas de la persona (pág. 48). Son símbolos oníricos que surgen de lo más profundo del inconsciente. En los hombres, los sueños con arañas suelen representar el miedo a las mujeres. En los sueños de las mujeres, las pesadillas con arañas es frecuente que sean una alusión a la repudia de la propia femineidad.

La casa

Los edificios casi siempre simbolizan los aspectos espirituales o corporales del soñador. Fíjese en qué estado se encuentra la casa. ¿Qué habitaciones ve en el sueño? También éstas tendrán una interpretación simbólica.

Aspectos mentales o físicos de la persona

- Un *sótano* oscuro normalmente hará referencia al inconsciente de la persona, mientras que la *buhardilla* suele ser una representación de su intelecto y su conocimiento. El *dormitorio* es el lugar de la procreación y de la muerte, la *cocina* es el lugar de las transformaciones. El *cuarto de baño*, al igual que el dormitorio, es un entorno íntimo en el que prevalece la limpieza. La *habitación desconocida* representa nuevas posibilidades que el soñador descubre en ese preciso momento.
- En los sueños también se nos aparecen *escuelas, hospitales, centros de negocios*, etc. Estos edificios deberemos interpretarlos de acuerdo con su función.

Así, las escuelas y las universidades simbolizan nuestro aprendizaje o nuestra obligación o deseo de aprender. Los hospitales suelen ser una in-

Interpretación
según la
función del
edificio

dicación de que debemos ocuparnos de nuestra salud, mientras que los centros de negocios acostumbran a relacionarse con nuestro mundo laboral.

Carreteras y caminos

El camino
existencial del
soñador

Las calles, carreteras y caminos suelen simbolizar el rumbo de la vida, y es muy importante fijarse en el estado de su pavimento. La calle puede estar llena o vacía, discurrir cuesta arriba o cuesta abajo. Todos estos detalles le aportarán datos muy importantes. También es muy significativo ver hacia dónde se dirige la ruta y de dónde viene. ¿De dónde viene usted? ¿Alcanzará su destino? ¿Y cómo llegará hasta él?

En las carreteras y caminos es frecuente encontrar a otras personas. En el lenguaje de los sueños, esto significa que al movernos nos toparemos con otras partes de nosotros mismos (generalmente las más olvidadas). Alégrese de estos encuentros, aunque le parezcan peligrosos. En los sueños solamente es peligroso aquello que rechazamos (pág. 81).

El coche

Movilidad es
independencia

Al igual que todos los vehículos, el coche simboliza su movilidad y representa al mismo tiempo su independencia del entorno. Fíjese en quién conduce el coche, cómo lo conduce, de que tipo de vehículo se trata (turismo, deportivo, furgoneta de reparto, autobús...) y cuál es su color (página 54). El lenguaje de los sueños distingue muy bien entre los vehículos de uso individual (como los turismos o los deportivos) y los medios de transporte público tales como los autobuses. También es de gran valor simbólico que sea usted quién elija la ruta a seguir o que ésta ya esté preestablecida, como la de un autobús de línea. En muchas ocasiones, el coche le indica que usted no confía en sus propias fuerzas, que necesita un medio de locomoción que le ayude. El coche es algo así como una muleta.

En los sueños, el coche suele representar una falta de confianza en las propias fuerzas; indica que usted cree necesitar una ayuda para poder seguir adelante

¿Qué pasa?

En nuestros sueños siempre aparecen determinadas situaciones simbólicas. Agresión y persecución, perderse y caerse, equivocarse en un examen y encontrarse desnudo ante los demás son algunas de las situaciones oníricas más frecuentes.

Situaciones que frecuentemente se nos aparecen en sueños

El ataque expresa una agresión

• *Agresión:* Si usted se siente agredido en sueños es señal de que se producen repetidos enfrentamientos entre diversas tendencias de su mente. La falta de armonía en su interior se manifiesta en forma de un comportamiento agresivo que le perjudica por su desmesura. Reflexione acerca del modo en que usted manifiesta su agresividad.

Caer significa dejar el control

• *Caer:* Cuando uno sueña que se cae suele significar que debería dejarse ir con más frecuencia. Muchas veces pretendemos ejercer un control excesivo en situaciones en las que sería mejor dejarnos ir y amoldarnos a las circunstancias. Por otra parte, la sensación de caer puede retraernos a las experiencias vividas durante la infancia cuando aprendíamos a caminar. El sueño refleja la inseguridad de la persona, que puede caerse en cualquier momento. Acepte sus experiencias de inseguridad.

Estar desnudo: ser uno mismo

• *Estar desnudo:* En la lógica de los sueños, presentarse «sin camisa ni pantalones» significa que debemos mostrarnos tal y como somos en realidad. Esta simbología suele aparecer en los sueños cuando la persona se identifica excesivamente con su identidad en el trabajo. Procure mostrarse más frecuentemente cómo es en realidad.

Viajar simboliza transformación

• *Viajar:* La persona que sueña con viajes es señal de que se encuentra en una situación de cambio, o que debería cambiar. Al igual que en el viaje, deberá cambiar su perspectiva porque probablemente estará muy anquilosada. En el viaje es importante tener en cuenta cuál es el punto de partida y cuál el de llegada. A pesar de que el viaje vivido en sueños pueda parecer agotador y lleno de incomodidades, esta arquetípica situación (pág. 45) de estar en ruta casi siempre tiene un significado positivo. Su simbología nos hace potenciar un cambio en el consciente. Y si el viaje se nos aparece lleno de aventuras y peligros significa que la persona siente temor ante estos cambios.

• *Violación:* Si se vive con el miedo a una violación (en las mujeres) o del temor a la castración (en los hombres), suele tratarse de una representa-

Una violación puede expresar la presencia de energías sexuales retenidas...

ción de la contención de la energía sexual. La persona desea una satisfacción sexual plena, pero la rechaza por motivos morales. Así, se plantea una posición sexual de la que no es responsable y que a la vez presenta una evidente carácter punitivo.

Cuando el hombre o la mujer realmente sienten temor de sufrir una posible violación, ésta se manifestará en sueños de una forma simbólica, nunca en forma de violación.

Si en la agresión soñada se trataba de una cuestión de dinero o de la propia vida, entonces la persona deberá prestar especial atención a las circunstancias que le rodeaban. Simbolizan algunas de sus propias características personales, las que le impiden disfrutar plenamente de la vida y le bloquean su capacidad de expresión artística. Si quiere ser feliz y tener éxito en la vida deberá protegerse de estas energías negativas.

...o elementos que las bloquean

• *Persecución:* Hay que tomarse muy en serio aquello que nos persigue en los sueños. Suele tratarse de aspectos de nuestra personalidad que intentamos rechazar. Fíjese bien en el perseguidor y piense a qué aspecto de usted mismo intenta representar. Cuando sea capaz de identificar y aceptar este aspecto de su propia personalidad, su propia imagen será más realista y podrá llevar una vida más plena y creativa.

Los perseguidores simbolizan aspectos rechazados de la propia personalidad

• *Perderse:* El que se pierde es porque no logra orientarse. El consciente se rinde y nosotros perdemos el control. En estos casos lo mejor es dejarse llevar por la intuición. Es sorprendente comprobar que, tanto en la vida real como en los sueños, los grandes descubrimientos se hacen cuando uno se separa del camino establecido y se pierde. Solamente es posible descubrir cosas nuevas apartándose de las rutas establecidas.

Equivocarse implica dar paso a la intuición

En los sueños, perderse simboliza que, o bien vamos por la vida con demasiada rigidez y nos perdemos lo más maravilloso de ésta, o bien que nos concentramos demasiado poco en nuestra meta.

Los sueños de fallos suelen ser frecuentes en épocas de exámenes

• *Fallar:* Esta situación onírica suele ir ligada a los exámenes. Uno llega al examen y se ha olvidado de todo o se ha preparado muy mal la materia que tocaba. Esto representa nuestro temor a perder facultades o a que disminuya nuestro rendimiento. Es un sueño muy frecuente, porque todos albergamos estos temores de una forma u otra. Por suerte, en la mayoría de los casos estos sueños solamente aparecen antes de exámenes, evaluaciones y conferencias en los que se obtiene un resultado favorable.

Por tanto, acepte sus temores como tales pero sin darles excesiva importancia.

Personas que aparecen en los sueños

El yo onírico

El yo que aparece en los sueños es el personaje de éstos al que llamamos «yo». A la hora de interpretar los sueños es importante tener en cuenta si este yo onírico es un personaje activo o pasivo.

¿Activo o pasivo?

Un yo onírico pasivo indica que usted no lleva realmente las riendas de su propia existencia. Para activar su yo onírico pasivo deberá recurrir a las técnicas de ensoñación diurna (pág. 75). Déjele que tome parte activa en el acontecer de los sueños, así usted también será más activo cuando esté despierto. Transforme un yo onírico pasivo en uno activo.

Los otros

Las otras personas que aparecen en sus sueños representan diversos aspectos de su propia personalidad. Estos personajes oníricos suelen cumplir la función de convertir en inofensivo lo malo y lo inabarcable.

Dos funciones

En cuanto le pongamos un rostro a lo malo y lo incontrolable, esto empezará a hacerse soportable.

Decisivo: su actitud respecto a las personas

- *Las personas a las que usted rechaza* hay que interpretarlas como facciones de su propia personalidad a las que debería prestar más atención.
- *Las personas que le merecen una valoración positiva* simbolizan aspectos de usted mismo que deberá potenciar.
- *Las personas conocidas* representan características más próximas a su consciente. Suelen ser aspectos de su personalidad que usted ya conoce pero que evita exteriorizar.
- *Las personas desconocidas y sin rostro* simbolizan elementos de su propia personalidad que ni usted mismo conoce.

Familiares

Los familiares expresan básicamente aspectos próximos al soñador, es decir, que siente muy cercanos a sí mismo (o, expresado desde el punto de vista psicológico: que no le son completamente ajenos).

- *Hermanos:* El hermano en el sueño masculino y la hermana en el femenino representan la otra cara del soñador, la que él/ella no se atreve a vivir.

Niños: En los sueños, los niños suelen simbolizar posibilidades que habrá que explotar o estimular.

● *Padres y abuelos:* Vea los símbolos arquetípicos (página 49).

Amistades

Colaboración intensa

Los amigos simbolizan aptitudes muy útiles que necesitan ser estimuladas (y a las que habitualmente no les prestamos la atención debida).

Extraños

Aspectos ocultos

Los extraños que se nos aparecen en sueños simbolizan aquellos aspectos o facultades nuestras que hemos reprimido hasta el punto de hacerlas ajenas a nosotros mismos (psicológicamente: expresan fracciones muy divididas de nuestra personalidad).

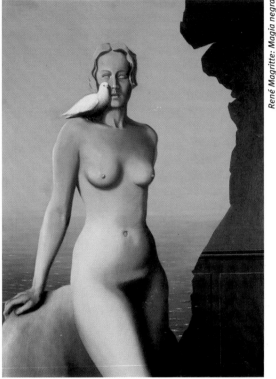

René Magritte: Magia negra

● *Personas sin rostro:* Las personas sin rostro, o con una cara rígida e inerte como la de una muñeca, suelen representar características arquetípicas; la falta de rostro indica que se trata de un principio o una actitud, pero no de una persona como tal.

Las personas que aparecen en nuestros sueños simbolizan aspectos de nuestra propia personalidad

Símbolos arquetípicos

Expresión de una sabiduría más profunda

En nuestros sueños es frecuente que se manifieste una profunda sabiduría que se basa en conocimientos ancestrales. C. G. Jung opinaba que estos conocimientos eran hereditarios y que se conservaban en un estrato del consciente al que denominó «subconsciente colectivo». De este estrato del consciente surgen en sueños las imágenes ancestrales de la humanidad, tal y como las conocemos de las leyendas y de la mitología: dioses, héroes, ángeles, demonios, animales mitológicos, elementos mágicos. Todos estos «arquetipos» simbolizan experiencias que los hombres han venido repitiendo desde los albores de la humanidad.

En épocas de cambios o de crisis solemos soñar símbolos arquetípicos.

Estos sueños no se olvidan con facilidad porque nos afectan bastante profundamente.

SUGERENCIA

Los arquetipos simbólicos han de interpretarse solamente de modo subjetivo (pág. 35).

Sin embargo, a los símbolos personales que entre otros significados pueden tener también uno arquetípico, hay que darles ocasionalmente una interpretación objetiva.

Cómo reconocer los arquetipos

En los sueños, los arquetipos suelen presentarse en forma de personas, pero como «tipos» sin personalidad individual. Así, se nos presenta el trabajador, la campesina, el soldado o la enfermera. Son funciones, y por tanto carecen de nombre.

Personas sin personalidad

Los símbolos arquetípicos se reconocen principalmente porque son espacios, objetos o personajes que ya conocemos por la literatura universal y otros medios de expresión artística.

No todos los símbolos arquetípicos se nos aparecen como personas. Entre estos símbolos también se encuentran objetos mágicos como determinadas rocas, el Santo Grial, la nave con la que Ulises surcó los mares, y muchos más. Cuando los animales nos hablan o nos ayudan también adquieren un significado arquetípico. Especialmente debemos interpretar como símbolos arquetípicos a los animales con gran energía, como el águila, el lobo y el oso, sin olvidarnos de la mariposa, que es el símbolo de la transformación y del cambio.

Objetos mágicos y animales que hablan

Si aparecen estos símbolos u otros similares, siempre hacen referencia a la gran energía interna del soñador y a sus sentimientos, y a que debe liberarlos.

Temas arquetípicos en cada sueño

Todos los sueños tienen un plano arquetípico que generalmente trata de uno de los siguientes temas:

El ánimo: el alma en su forma masculina

El ánimo, lo masculino que hay en nosotros, se manifiesta a través de cualquier persona del sexo masculino que aparezca en nuestros sueños (ver también la pág. 49). En su estado puro se suele aparecer como un hombre sin rostro. Es frecuente que las mujeres sueñen que se relacionan con hombres sin un rostro definido. Este tipo de sueño les recuerda que deben prestar más atención a su vertiente masculina. Desea unirse a ella y ser aceptada como parte de su ser.

Características masculinas arquetípicas

Pero ¿qué es esta parte masculina? En el plano arquetípico se trata de la capacidad para negociar con un propósito determinado, para percibir de forma objetiva y para crear abstracciones. El inconveniente de esta capacidad es la rigidez, y el lado masculino siempre ha de estar alerta para no sucumbir ante su propia rigidez. En los sueños, el ánimo manifiesta tanto las virtudes como los inconvenientes de esta rigidez y rectitud tanto en el pensar como en el hacer. Está involucrado en el principio unilateral del «o esto, o lo otro».

El ánima es nuestra parte femenina, y se manifiesta a través de cualquier mujer que se nos aparezca en sueños

● *Símbolos del ánimo en los sueños y la imaginación de las mujeres:* Cuide su capacidad reproductora y su autoestima (aquí se trata de su propia parte masculina).

● *Símbolos del ánimo en los sueños y la imaginación de los hombres:* Preocúpese de desempeñar los papeles propios de su sexo, o bien no se bloquee en ellos.

El ánima: el alma en su forma femenina

El ánimo y el ánima aparecen en los sueños de todas las personas, tanto mujeres como hombres

El ánima, nuestro lado femenino, se nos aparece en sueños a través de cualquier persona del sexo femenino. En los sueños masculinos suele ir vestida de blanco e intenta llevar al hombre hacia un nivel más profundo. El que no haga caso a esta invitación se bloqueará en su aspecto masculino y a la larga no será capaz de desarrollar una actividad creativa. Pero ¿qué entendemos aquí por femineidad?

En el plano arquetípico representa la capacidad para la trans-

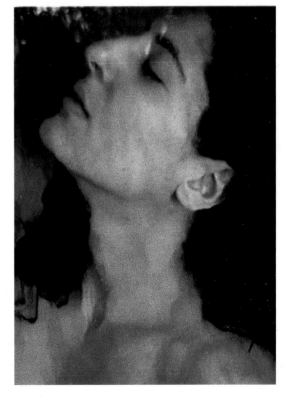

formación y la proximidad al caos creativo del que surge todo. Lo femenino siempre corre el peligro de convertirse en un torbellino. En el sueño, el ánima advierte tanto de las ventajas como de las desventajas de este torbellino. Pero dado que vivimos en una sociedad en la que predominan los valores masculinos, el ánima suele exteriorizar sus aspectos positivos. El ánima simboliza el principio del «sí, pero también».

Aspectos femeninos arquetípicos

● *Símbolo del ánima en los sueños y la imaginación de las mujeres:* ocúpese más del papel propio de su sexo.

● *Símbolo del ánima en los sueños y la imaginación de los hombres:* ocúpese más de sus aspectos emocionales y creativos, es decir, de su lado femenino.

La sombra: lo rechazado o lo malo que hay en nosotros

La *sombra* es la única parte de nosotros que rechazamos, dado que es la única que no encaja con la imagen que nos creamos de nosotros mismos. Cualquier osado deseo que no seamos capaces de cumplir se convierte en una amenaza –pasa al lado de la sombra y se nos aparece por la noche.

La sombra a veces se aparece como una persona del mismo sexo que el soñador. Tenemos miedo de esa persona, a pesar de que solamente intenta establecer contacto. Representa aquello que rechazamos pero que nos gustaría poder aceptar para enriquecer nuestra personalidad.

Aspectos presionados o rechazados

● En el sueño, la sombra siempre le muestra qué es lo que usted ha rechazado, porque lo que no experimente en la vida se lo encontrará en los sueños. Nuestra mente está constantemente ocupada en lograr nuestra integridad. Cédale algún espacio a la parte rechazada, también tiene derecho a estar ahí.

El uno mismo: raras veces aparece en sueños

El plano espiritual o total

El *uno mismo* representa el plano espiritual o el plano total del soñador. Los símbolos del uno mismo son muy abstractos y suelen aparecer en forma de figuras geométricas. Uno de los más interesantes es el Mandala (el círculo mágico que normalmente está dividido en cuatro segmentos iguales) que, al igual que todos los símbolos del uno mismo solamente aparece cuando la persona ha dado un importante paso evolutivo o lo está dando en ese momento.

Al contrario que los símbolos del ánimo, el ánima y la sombra, los del uno mismo aparecen muy raramente en los sueños, y cuando lo hacen se les identifica siempre como tales.

Personas arquetípicas

Ánimo-masculino

Los personajes de ánimo positivo siempre aparecen en tonos claros, mientras que los de ánimo negativo suelen vestir de tonos oscuros.

Manifestaciones clásicas o modernas

● *Representaciones clásicas:*
– el héroe, el padre y el abuelo (Júpiter/Zeus), el mago o el loco (Mercurio/Hermes), los dioses masculinos de los griegos y de los romanos. El arquetipo clásico de los hombres es Marte, al que se considera un perfecto amante y aguerrido guerrero.

● *Representaciones en los sueños actuales:*
– el héroe: futbolista, astronauta, detective, corredor de coches (el héroe suele ser lo que uno quisiera ser en sueños).
– el padre/abuelo: jefe, mandatario, protector (generalmente en forma de abogado y, más raramente, como policía).
– el mago/loco: cantante, artista o científico.
– el guerrero: revolucionario, activista político, atacante en general.

Ánima-femenino

Los personajes de ánima positiva suelen ir vestidos de blanco y nos recuerdan a los ángeles, mientras que los personajes de ánima negativa no es imprescindible que vayan de negro o de colores poco atractivos, pero son feos, sucios y de aspecto descuidado.

● *Representaciones clásicas:*
En su forma pura como madre fecunda u odiosa, como abuela (la gran madre, la hembra eterna), como princesa, prostituta (santa) y personajes demoníacos femeninos (ninfa, hada, sirena), deidades femeninas. El arquetipo clásico de la mujer es Venus (Afrodita), que en los sueños también se aparece como una belleza que pone los hombres a sus pies.

● *Representaciones en los sueños actuales:*
– la madre fecunda: la mujer que nos ayuda y nos sirve de inspiración; la madre que se encarga solícita de su familia.
– la madre odiosa/bruja: las mujeres que los hombres temen, con razón o sin ella; tiene suficiente energía como para destruir a los hombres (la mujer castrante).
– la mujer dominante/princesa: la mujer inteligente, fuerte e independiente, a la vez objeto del deseo para muchos hombres.
– la prostituta (santa): la mujer independiente y a la vez excitante que lleva a los hombres a una nueva dimensión del placer.

La sombra

Todas las personas desagradables que nos producen una fuerte repulsa emocional; todas las personas amenazadoras y agresivas que nos angustian profundamente en los sueños.

Cada detalle puede sernos de ayuda

A veces es difícil encontrar la forma de entrar en un sueño. Nos encontramos un poco confusos ante él y no sabemos por dónde empezar a interpretarlo.

Todo tiene un significado

Estado anímico durante el sueño

Cuestión de percepción y de ambiente

Empiece por preguntarse: «¿Cómo me he sentido al despertarme y durante el sueño?» Ésta es la pregunta básica que hay que plantearse para intentar entender un sueño, y nos muestra si está relacionado con temores (mal humor al despertarse o durante el sueño) o con esperanzas (buen humor al despertarse o durante el sueño). Observe también si su estado de ánimo ha variado durante el sueño o si ha seguido una constante. Pregúntese en qué momentos de su vida cotidiana se siente de esa forma.

Muchas veces, el estado anímico durante el sueño se ve influido por las condiciones lumínicas o climáticas durante el mismo, o se debe totalmente a estos factores. Es algo así como aquellas novelas de los siglos dieciocho y diecinueve en las que el ambiente dramático y convulso propio de la época, se creaba mediante tormentas y tempestades con su acompañamiento metereológico.

Comportamiento de las personas

¿Con éxito, o sin él?

Observe atentamente a su yo onírico y a las demás personas que aparecen en el sueño y fíjese bien en lo que hacen.

Pregúntese si estos comportamientos le serían de utilidad si usted los aplicase en su situación actual. ¿O se le muestran actuaciones que no le serían beneficiosas?

Los comportamientos que en los sueños se le muestran como inútiles tampoco le aportarían nada en la vida real, y no serían más que una pérdida de tiempo.

El inicio del sueño

El arranque del sueño nos proporciona importantes datos acerca de cuál es el plano en el que debemos comprenderlo. Al principio del sueño es también cuando se nos enseña el lugar y el momento en que éste sucede.

El plano en el que el sueño espera ser comprendido

La hora del día

La hora de la acción se nos muestra mediante la iluminación. Imaginemos un sueño que se inicia al anochecer. El crepúsculo marca exactamente el plano en el que es más adecuado tratar los mundos interiores. Es un estado de penumbra entre la luz y la oscuridad. Mientras la luz simboliza el plano intelectual, en el que nuestra percepción es más precisa (consciente), la oscuridad simboliza aquel estado en el que ya no podemos distinguir nada (inconsciente).

La ubicación

El lugar en el que transcurre la acción también es un indicio del plano en el que se sitúa el sueño. Si es un lugar elevado, como por ejemplo la cumbre de una montaña, un ático o un tejado, hará referencia a nuestro intelecto y a nuestro consciente. Si el sueño empieza en un lugar bajo o incluso subterráneo (cueva, mazmorra, sótano) es señal de que se refiere al plano sensorial y del inconsciente.

Reconocer las advertencias y emplearlas para la interpretación

Personas y elementos

El plano del sueño a veces también se manifiesta a través de una persona o grupo de personas –por ejemplo, al principio solamente con hombres (lado racional e intelectual) o solamente con mujeres (lado emocional y social)– o por los elementos (pág. 38). Un sueño puede empezar en el agua o en una huerta, con lo que hará referencia al mundo sensorial de la persona o a su relación con la tierra (la capacidad para defenderse en la vida cotidiana).

El final del sueño

Fíjese en los cambios

El final del sueño es tan importante como su inicio. Pregúntese ante todo si el plano inicial se conserva o no hasta el final. Es muy frecuente que cambie. Si se fija bien en el principio y el final del sueño se dará cuenta de que le será más fácil entender el desarrollo interior que éste le mues-

Marc Chagall: Violinista azul

tra. Muchas veces, la esencia del sueño radica precisamente en el conocimiento de este desarrollo interno.

Casos que se apartan de la normalidad

Preste atención a los momentos en que un sueño se aparta de lo normal. En todos los sueños verá elementos que le son familiares pero que están dispuestos de una forma extraña. Se le aparecen personas, edificios y situaciones que usted ya conoce. Pero suele suceder que se produce algo inhabitual: por ejemplo, usted sabe que se le aparece una persona conocida, pero en sueños tiene un rostro muy distinto del de la realidad.

Lo conocido se relaciona con lo extraño

Todo aquello que se le aparezca menor de lo que es en realidad es señal de que necesita que usted lo investigue más a fondo y le preste más atención. Del mismo modo, deberá reducir un poco aquello que se le aparece mayor de lo que es.

El sueño recurre a alejarse de la normalidad para captar nuestra atención y ser más fácil de recordar

En los sueños pueden aparecer animales que hablan o personas que se transforman, y las leyes de la naturaleza se alteran para permitirnos volar o cambiar de lugar de forma instantánea. El sueño emplea estas situaciones irreales para llamarnos la atención hacia ellas. Pues retenemos mucho mejor todo aquello que se aparte de la realidad.

Multiplicidad en sueños

Preste atención a aquellos símbolos que aparecen varias veces. Por ejemplo, si en un sueño se le aparecen dos mujeres a la vez es señal de que lo femenino domina en exceso. Del mismo modo hay que interpretar cada símbolo que aparezca repetidamente en la misma situación onírica. Cuando algo aparece en exceso es señal de que hay que ponerle límites o,

Símbolos que aparecen con frecuencia

en casos muy raros, que hay que estimularlo. Sus emociones y el contexto del sueño le indicarán en qué caso se encuentra.

Repeticiones en sueños

Los sueños quieren ser comprendidos, por eso es frecuente que simbolicen el mismo contenido dos o más veces. Éste es el caso, por ejemplo, cuando en dos momentos del sueño el yo onírico se encuentra con una mujer rubia, o cuando en un sueño muy corto se habla de una habitación pequeña y luego aparece un enano.

Indicación acerca del significado central del sueño

En estos casos, empiece por prestar mucha atención a las repeticiones y luego le será muy fácil dar con el significado central del sueño.

Contradicciones en el sueño

Indicios de tensiones internas

Las contradicciones tales como alto/bajo, grande/pequeño, masculino/femenino, bonito/feo siempre son una expresión de las tensiones internas. Si en su sueño aparecen estos elementos opuestos, u otros similares, empiece la interpretación por ellos. La simbología de estas contradicciones le llevará al centro de sus tensiones internas, que son las que se manifiestan en el sueño.

Palabras en el sueño

¿Se produce una conversación en el sueño, o aparece en él una frase muy explícita? En este caso habrá que empezar por descifrar esas palabras. Las sugerencias más importantes suelen venir de una voz incorpórea. Tenemos la sensación de que desde el cielo nos habla un dios al que no podemos ver. Es posible que la voz que intenta ayudarle sea la de usted mismo.

Preste atención a su voz interna

La conversación directa, en la que participa el yo onírico, suele considerarse como una expresión de la voz interior del soñador. Y cuando nuestra voz interior se nos manifiesta de una forma tan directa, es señal de que tiene que decirnos algo muy importante. Nos daremos cuenta de esto porque esa voz suele ser lo único que recordamos del sueño en cuestión –por lo menos a largo plazo–. Representa su esencia.

(Si usted a veces habla en voz alta mientras está soñando es señal de que su centro del habla no está totalmente desconectado y que en el

Colores en el sueño

Si un símbolo se recuerda de un determinado color hay que iniciar la interpretación del sueño a partir de ese símbolo, ya que el color subraya su significado. En los sueños, los colores pueden tener los siguientes significados:

- Amarillo: lo espiritual, el plano intelectual, el consciente.
- Azul: lo emocional, el plano sentimental, el inconsciente.
- Rojo: lo físico, el plano de la vida cotidiana, amor y pasiones.
- Verde: el equilibrio, la paz y la armonía.
- Violeta: lo espiritual, lo difícil de aprehender (el violeta constituye el paso hacia el invisible ultravioleta).

- Marrón: el color de la tierra y también de lo terrenal; también puede ser una alusión al fascismo.
- Blanco: el color del machismo autoritario (con el patriarcado se divinizó la luz).
- Negro: el color santo de la femineidad, porque todo crece en la oscuridad (en el matriarcado se divinizaba la noche).
- El significado de los demás colores se obtiene sumando los de los colores que los originan.

Si todo el sueño se recuerda en color suele significar que se trata de un sueño muy importante.

Deberá estudiarlo con mucha atención porque seguramente contendrá indicaciones muy concretas para su futuro.

Los colores sirven para destacar la importancia de un símbolo concreto, o de todo el sueño

cerebro se produce un fallo similar al que experimentan los sonámbulos).

Cifras y fechas en el sueño

Es bastante frecuente que en los sueños aparezcan números y fechas. ¡Pero no vaya a creer que estas cifras son un método seguro para ganar jugando a la lotería o cosas similares!

¡No se trata de predicciones!

C.G. Jung recomendaba ir sumando todos los números progresivamente hasta obtener un número de una única cifra. Y a esta cifra es a la que habrá que buscar un significado.

Vías para llegar a entender los sueños

Llegados a este punto desearía mostrarle algunas reglas y trucos para interpretar los sueños. Le serán de gran ayuda para descifrar rápidamente los consejos y enseñanzas que se esconden en ellos. Cuando aprenda a emplearlos irá ganando seguridad en la interpretación del lenguaje onírico.

Interpretación de los sueños: un juego

El principio de «ensayo y error»

Si se ocupa regularmente de sus sueños, se dará cuenta de que cada vez le será más fácil llegar a interpretarlos… y sin esfuerzo. ¡No intente forzar las situaciones!

Observe sus sueños con una curiosidad infantil, juegue al ensayo y error: si se le ocurre una interpretación, por absurda que sea, compruebe qué tal le va con ella. Si resulta ser errónea, vuelva a intentarlo y busque otra. Con este juego llegará a entender su sueño mucho mejor que si llegase a la conclusión de que «este sueño tiene para mí solamente este significado, y ningún otro». Esto nunca es así. Siempre contiene más sorpresas para usted de las que se imagina.

Al igual que una obra de arte, el sueño puede tener muchos significados, y a lo mejor todos ellos son válidos. Las interpretaciones cerradas proponen siempre un único significado.

Cada sueño puede tener muchos significados

El objetivo no es lograr una interpretación definitiva

El objetivo de la interpretación de los sueños no es tanto el llegar a comprender en detalle un determinado sueño como el autorreconocimiento y la estimulación del propio potencial creativo, así como mejorar la facultad de ser capaz de escuchar los propios sueños. Por tanto, es más importante ocuparse de los propios sueños que llegar a interpretaciones concretas.

La aproximación lúdica a los sueños le proporcionará muchas más sugerencias prácticas para su vida de las que obtendría si se empeñase en desentrañar su significado exacto a toda costa.

Pensamientos positivos en el trabajo onírico

En principio, le sugiero que en sus sueños busque siempre la parte po-

Buscar lo útil y
lo constructivo

sitiva y edificante que todos ellos contienen. Déjese llevar por los aspectos positivos de sus sueños. Cuando esté viviendo una situación compleja o problemática, sus sueños siempre le brindarán soluciones útiles, a veces incluso geniales.

▶ Aprenda a descubrir esos aspectos positivos. Hay que buscarlos bien, concentrarse en ellos, y luego interpretar todo el sueño a partir de esa base. También cada símbolo tiene un aspecto positivo. Ejercítese en descubrir rápidamente esa cara.

Cuestión
de práctica

Si usted se liga a sus anhelos productivos le costará mucho menos esfuerzo desarrollar su individualidad que si se dedica a «cuidar» sus aspectos problemáticos.

Ejemplo
«coche»

Fijémonos, por ejemplo, en el símbolo coche, que es uno de los más comunes: por una parte lo relacionaremos con significados tales como soledad y falta de independencia. Pero si nos concentramos en su cara positiva, entonces el coche representa una forma sencilla, individual y rápida de avanzar hacia delante. Si no desease este tipo de desplazamiento, no soñaría con un coche. Esta interpretación será válida siempre que nos preocupemos mucho de nuestro desarrollo personal y deseemos avanzar lo más posible. En estos casos, el símbolo onírico coche nos indica que el desarrollo personal no va a estar plagado de dificultades.

Incluso cuando la persona que sueña con el coche resulta que les tiene miedo a raíz de un accidente de circulación, este sueño deberá ayudarla a disipar sus temores para poder volver a avanzar libremente.

Elementos positivos del sueño

● *Personas que ayudan al yo onírico:*

Cada persona simboliza un aspecto de usted mismo, tanto en lo positivo como en lo negativo. Concéntrese en el aspecto positivo de esa persona que se le aparece en sueños preguntándose qué es lo que le gusta de ella y cómo ayuda a su yo onírico durante el transcurso del sueño.

Concentrarse
en algo
agradable

● *Personas que le muestran un comportamiento extraño para usted:*

Cada símbolo –y, por tanto, también las personas que se le aparecen en sueños– le muestra aspectos desconocidos de usted mismo. En el caso de

Estímulo para
un tratamiento
positivo

los personajes, estos aspectos se expresan en forma de comportamientos extraños. Conviene analizarlos pues muchas veces llevan a resultados positivos.

• *Expresiones positivas durante el sueño:*
Las personas que se le aparecen en sueños le hablan y le dan consejos. En su propio interés, siga esos consejos.

• *Momentos del sueño en los que usted se ha sentido muy a gusto:*
Simbolizan zonas de usted mismo a las que debería acudir con más frecuencia o que necesitan ser activadas, porque le van a dar fuerzas. En los momentos difíciles conviene hacer caso de estos sueños.

Consejos y
fuentes de
energía

Resumiendo, de lo que se trata es de analizar los sueños desde un punto de vista positivo. Pero esta aproximación positiva produce un efecto más intenso que en la vida cotidiana porque arrastra consigo las emociones del inconsciente. El que base sus energías positivas en sus sueños se hará con una eficaz ayuda que le será muy útil para salir adelante en las complicaciones de la vida cotidiana.

Asociaciones: deje que afloren libremente

Uno de los
más
importantes
métodos para
interpretar los
sueños

El gran intérprete de sueños Artemidoros de Daldis (siglo II) estableció muchas de las bases de la interpretación actual y fue el primero en considerar las asociaciones. Dijo –al igual que diría Freud muchísimo tiempo después– que un símbolo significa aquello que nos hace recordar. La asociación se convirtió así en una de las técnicas más importantes para la interpretación de los sueños. En ella se da rienda suelta a las ideas en un símbolo onírico o, más raramente, en todo el sueño. Es decir, se deja vía libre a todo aquello que se nos ocurra.

Directamente hacia el problema

Si realiza de este modo una asociación con un símbolo onírico, entonces de dará cuenta se que siempre le guían inconscientemente hacia allí donde ha surgido el problema. Los problemas atraerán sus ideas como si actuasen como un imán.

Sus ocurrencias le guiarán hacia el problema

Se dará cuenta de que ha llegado al punto neurálgico por su sorpresa y porque se agota su imaginación. No se le ocurre nada nuevo, pero empiezan a resurgir antiguas experiencias y viejos recuerdos que estaban ocultos bajo un lastre emocional.

No ha de tener miedo a que se le ocurra algo que no sea capaz de asimilar y que le pueda resultar incómodo. Todo lo que se le pueda ocurrir respecto a su sueño es cosa del consciente, es decir, que su consciente es capaz de tratarlo sin riesgo alguno. La parte del inconsciente sólo es posible descifrarla con la ayuda de un diccionario de símbolos o con una persona experta en estos temas.

Existen dos tipos de técnicas asociativas: la asociación libre y la asociación articulada.

La asociación libre

▶ En la asociación libre se parte de un símbolo onírico o de una situación simbólica y se deja fluir todo aquello que se nos ocurre. Así se crean verdaderas cadenas de hallazgos, que pueden llegar a ser muy largos. Cuando se agota el flujo de ideas, la última en surgir será la que detecta el problema existente. Ésta es la base sobre la que trabajaba Freud.

Asociar sin filtrar

Si usted no tiene ni idea de lo que puede significar ese símbolo o esa situación, le recomiendo que realice una asociación libre. Cuanto más libremente deje fluir sus ideas, más rápidamente llegará a dar con el significado del sueño.

Su «crítico interno» tiene que callarse

Pero la asociación libre solamente funciona si su consciente crítico no influye en las cadenas de ideas. Es importante que ese «crítico interno» se aparte de su camino mientras esté realizando asociaciones libres. Si esto le resulta muy difícil, será mejor que interprete los sueños empleando las otras técnicas que describimos a continuación.

La asociación articulada

▶ Al contrario que en la asociación libre, en este caso no se deja que las ideas fluyan libremente, sino que se les marca un rumbo aproximado. Pero para esto es necesario que usted tenga al menos una ligera idea acerca de cuál puede ser el significado de su sueño.

Tomemos por ejemplo un sueño en el que aparezca un teléfono amarillo. Usted supone que este símbolo hace referencia al problema de la co-

Ejemplo «teléfono»

Los símbolos
oníricos
representan
aquello que
nos recuerdan

municación. Pero no llega a comprender por qué se le aparece ahora un símbolo semejante ni qué es lo que quiere indicarle exactamente.

Por tanto, empieza a realizar asociaciones con el símbolo teléfono y a relacionar todas sus ideas con el tema de la comunicación. No sigue la pista a asociaciones tales como juguete para niños, o las lleva a formas de comunicación infantil como las llamadas *babytalk*. Sin embargo, sí que acepta ideas tales como «debería volver a llamar a mis padres» o «debería estar siempre localizable» y deja que sus ideas sigan fluyendo.

La asociación ligada tiene la ventaja de que con ella no se corre el riesgo de despistarse. En la asociación libre se corre el riesgo de que las personas con una imaginación desbordante generen tal cantidad de ideas que acaben llegando a muchos problemas simultáneamente, lo cual las distraerá mucho y hará que se alejen del sueño.

Su propia guía de símbolos

Para poder comprender cada vez mejor el lenguaje simbólico de sus propios sueños le será de gran ayuda hacerse un diccionario personal de símbolos.

Anote los símbolos que se le aparecen en sueños, y su interpretación

▶ Lo mejor será que se haga con una gruesa agenda de las empleadas para anotar direcciones y teléfonos y que la emplee solamente para escribir los símbolos que se le aparezcan en sueños. Cada uno de los sueños que usted recuerde incluirá como mucho de tres a seis símbolos centrales. Apunte estos símbolos (y su significado abreviado) en la letra correspondiente. A la larga conseguirá un diccionario propio de gran utilidad.

No tardará en darse cuenta de que usted siempre acaba enfrentándose a las mismas cosas.

Si junto al símbolo anota siempre la fecha del sueño, más tarde podrá volver a comprobar en qué contexto se le apareció ese símbolo.

Estas anotaciones personales también tienen la ventaja de permitirle detectar cualquier variación de una forma mucho más rápida y ágil de lo habitual. Las alteraciones se suelen manifestar por una nueva reordenación de los símbolos principales. Y pueden ir acompañadas de un cambio en el significado de dichos símbolos.

Reconocer las relaciones y alteraciones

No empiece por consultar el diccionario

Al igual que en un diccionario de símbolos convencional, no deberá consultar su diccionario personal antes de haber intentado buscar un significado a los símbolos que se le aparecen en sueños. Así su comprensión de ellos podrá ser más profunda, porque reconocerá las distintas facetas del significado de cada uno.

Realizar un diccionario privado de símbolos es algo que no conlleva un gran esfuerzo. Bastan uno o dos minutos para anotar los símbolos oníricos junto con un breve resumen de su significado, pero la utilidad de esta agenda será muy grande.

Diccionario de símbolos

Si no se le da demasiado bien la interpretación, o si desea saber más acerca de los posibles significados de un símbolo, puede recurrir a consultar un diccionario de símbolos y sueños. Es un trabajo imprescindible para todo aquel que desee investigar por su cuenta los significados más profundos de sus sueños.

▶ Pero no consulte uno de estos diccionarios hasta haber trabajado intensamente con su sueño. Las interpretaciones más importantes que encontrará en el diccionario son precisamente aquellas que usted tiende a rechazar. Pero de estas sensaciones negativas siempre podrá

Vigile su estado emocional

aprender algo importante. Freud y Jung ya sabían que solamente se obtiene una respuesta emocional cuando se toca un punto sensible (porque se afecta una zona problemática).

Vivir con un símbolo

Trabajo intensivo

Cuando un paciente me explica que un determinado símbolo se le aparece con mucha frecuencia, yo le recomiendo que viva con él.

▶ Acostúmbrese a pensar en ese símbolo cada vez que tenga que esperar en algún sitio. Lea todo lo que encuentre acerca de él. Pinte, dibuje o modele el símbolo y ponga estas representaciones artísticas en algún sitio en el que siempre las vea.

Los símbolos en la vida cotidiana

Todo es un misterio

De vez en cuando, para poder comprender mejor los símbolos oníricos es muy útil ver la vida cotidiana de forma simbólica y como si se tratase de un sueño.

▶ Dedique una mañana o una tarde al mes a contemplar su vida y su entorno de modo simbólico, como si se tratase de un sueño.

Si lo hace de vez en cuando, como si se tratase de un juego, el mundo de los símbolos se le hará cada vez más accesible. Se dará cuenta de que cada vez le cuesta menos comprender sus sueños. De todos modos, es importante que tenga muy claro que el mundo real y la vida cotidiana hay que contemplarlos desde un punto de vista absolutamente objetivo (pág. 36): lo que vemos es lo que hay. Si usted observa su entorno real de modo subjetivo es únicamente como parte de un ejercicio, pero

SUGERENCIA

¿Sigue teniendo dudas acerca de su sueño?

Si sigue sin encontrar ningún significado a su sueño, pruebe con alguno de estos sencillos trucos.

● Vuelva a analizar el sueño al día siguiente o al cabo de dos días.

● Juegue un poco con su sueño, intente explicarlo como si se tratase de una historia, una novela o un cuento.

● La comprensión de los sueños no es imprescindible que se realice siempre a nivel intelectual o hablado. También se puede recurrir a medios de expresión artística. Intente dibujar o pintar el principal símbolo de su sueño. También puede convertirlo en un cómic.

Una vez más: ¡No fuerce la interpretación! Muchas veces es mejor dejar que el sueño le afecte profundamente en vez de intentar obtener un significado exacto.

Distinga entre ejercicio y realidad

no se corresponde con la realidad. Creer que todo el entorno está dispuesto exclusivamente como reflejo de uno mismo no sería más que un caso de exageradísimo egocentrismo.

Errores habituales en la interpretación

Los dos errores más importantes que se pueden cometer son no darle importancia a los sueños, o pretender interpretarlos siempre según un mismo modelo. No deje nunca de buscar el significado de sus sueños como si se tratase de un juego. La rigidez y la tozudez son, después de la pereza, los peores enemigos de la interpretación de los sueños.

Lo peor es la pereza y la rigidez

IMPORTANTE

¡No existe lo bueno ni lo malo!

Al igual que no existen asociaciones buenas y asociaciones malas, tampoco hay sueños buenos ni malos. Cuanta más importancia le dé al significado, menos podrá apreciar el contenido real del sueño. Sucede que en el plano de nuestro inconsciente lo malo puede ser bueno, y lo bueno puede ser malo.

En el plano onírico solamente es malo aquello de lo que se prescinde. Si lo miramos como en el sueño, entonces es precisamente esto malo lo que se convierte en una energía positiva y creativa. Una evaluación casi siempre evita la transformación de la sombra (página 48), y ello refuerza mucho las energías negativas que hay en nosotros.

La única evaluación realmente aceptable es aquella que nos hace considerar como bueno un sueño en el que se nos da a conocer lo desconocido, un sueño muy explícito y que no se olvida.

Junto a estos fallos fundamentales existen otros pequeños errores que pueden deslizarse fácilmente durante la interpretación. La siguiente lista le ayudará a evitar fracasos en la interpretación de los sueños.

- Ver solamente el significado superficial del sueño.
- Acudir inmediatamente a consultar un diccionario de símbolos.
- Confiar excesivamente en la propia capacidad de deducción.
- Ver los símbolos oníricos de forma realista en vez de simbólica.
- Pasar por alto algunas características importantes de un símbolo.
- No dejar que las asociaciones propias fluyan libremente.
- Alejarse demasiado del sueño original.
- Clasificar como «bueno» o «malo» (ver recuadro de la izquierda).

También esto es importante en la interpretación

La importancia de cada sueño

Sueños cortos

Los que se inician en la interpretación de los sueños suelen pasar por alto los sueños cortos. Y esto es un grave error porque los sueños cortos suelen comunicar su mensaje con mucha más claridad que los sueños largos, que acostumbran a tener una interpretación mucho más compleja. Acostúmbrese a prestar a sus sueños cortos tanta atención como a los más largos y apasionantes.

▶ En los sueños cortos aparecen pocos símbolos. Fíjese bien en ellos y realice asociaciones (pág. 57). Déjese llevar por sus ideas respecto a cada uno de esos símbolos y vea si obtiene algo que posea algún significado para usted.

Los fragmentos de sueños suelen ser muy explícitos

Sueños largos

▶ Cuanto más largo sea un sueño, más útil será dividirlo en episodios cortos a los que se buscará un significado por separado.

Al interpretar el sueño por tramos no es necesario seguir el mismo orden en que se han soñado. Generalmente es más práctico empezar por un tramo que tenga un fuerte contenido emocional o por uno cuyo significado nos parezca ya bastante claro.

Interprete cada episodio por separado y luego únalos

Una vez haya logrado interpretar cada tramo por separado, intente unirlos de forma coherente. Es posible que al unirlos el conjunto adquiera un nuevo significado.

En el caso de los sueños largos es importante que al final de la interpretación se repase el conjunto para comprobar que realmente se haya tenido en cuenta cada símbolo y cada detalle.

Tanto si se trata de breves impresiones como si son verdaderos «largomentrajes», todos sus sueños son importantes

Sueños repetitivos

A los sueños repetitivos hay que prestarles una atención especial: aquí suelen aparecer siempre los mismos símbolos. Siempre indican una posición errónea ante la vida. Es decir, le indican que su comportamiento mecánico o su forma automatizada de considerar la situación le llevan a fracasar una vez tras otra.

Como en los sueños, así en la vida

▶ Fíjese bien en cuáles son los símbolos y las situaciones simbólicas que siempre se repiten en esos sueños. Seguro que son el reflejo de algo que usted hace repetidamente y que le supone un grave obstáculo para poder avanzar en la vida.

• Muchas veces se repiten situaciones simbólicas en las que un personaje onírico muestra un comportamiento estereotipado. Un buen ejemplo de esto lo tenemos en el sueño persecutorio. El yo onírico huye de su agresor y va a parar a un callejón sin salida o a un precipicio. En ese momento es cuando el soñador se despierta aterrorizado.

Típico: siempre el mismo comportamiento

Busque la forma de dar un giro positivo a estas situaciones (pág. 81). Una posibilidad sería que usted se decidiese a hablar con su perseguidor e hiciese las paces con él. Si lo practica mentalmente con frecuencia, en la vida real también pasará de víctima a perseguidor.

• Al estudiar los sueños repetitivos también es muy útil fijarse bien en si existe alguna evolución en esas repeticiones. Los sueños nunca se repiten de un modo idéntico, sino que siempre existen pequeñas variaciones sobre el mismo tema. Si se concentra en las diferencias existentes entre cada uno de los sueños individuales es probable que le resulte más fácil identificar dónde ha de basar su interpretación.

Fíjese en las diferencias

• Al estudiar estas series de sueños similares, fíjese en qué es lo que caracteriza su ubicación en el tiempo y relacione con ésta las situaciones y los símbolos oníricos.

El estado actual

Interpretación de los sueños. Resumen

1 Anotar: Apunte su sueño lo más completo posible y antes de proceder a su interpretación; puede hacerlo de forma esquemática.

● *Recuerde:*

¿Cuál era su estado de ánimo durante el sueño?

¿Dónde sucedía el sueño?

¿Quién o qué desempeñaba un papel importante?

¿Qué pasaba?

● *Fíjese más en esto:*

¿Cuál fue la primera sensación que sintió al despertarse?

¿Qué fue lo primero en lo que pensó?

¿Cómo empezaba el sueño (hora, lugar, personas, elementos)?

¿Cómo finalizaba?

¿Qué personas tenían un carácter arquetípico (pág. 45)?

¿Cómo se comportaban las personas?

¿Dónde se alejaba el sueño de la normalidad?

¿Quién o qué aparecía más veces?

¿Qué simbolismo se repetía?

¿Dónde se aprecian más los elementos opuestos?

¿Se habla en el sueño?

¿Recuerda números o fechas?

¿Recuerda el sueño en colores?

¿Con qué situaciones o acontecimientos de su vida relaciona este sueño?

● Anote sus primeras asociaciones e ideas.

2 Interpretar: Tómese algo de tiempo para efectuar la interpretación.

● Efectúe asociaciones con los dos o tres principales símbolos del sueño. Empiece por las imágenes más insistentes, las que despierten con más intensidad sus sentimientos positivos o negativos.

O empiece por buscar el significado de las imágenes arquetípicas.

Efectúe asociaciones también con los demás símbolos y situaciones.

● Observe los movimientos, transformaciones y pautas de comportamiento del yo onírico. Preste especial atención a todo aquello que se aparte de la normalidad.

● Haga una lista con todas las personas que se le aparecen en el sueño. Al lado de cada uno de los personajes, escriba cuáles de sus características propias podrían estar simbolizadas por esa persona.

● Busque expresiones y actuaciones positivas en ese sueño.

● Pregúntese si algo de lo que aparece en el sueño le recuerda alguna sensación o alguna experiencia de su vida cotidiana. ¿Había tenido alguna vez un sueño parecido? En el caso de que así sea, procure recordar en qué situación se encontraba cuando tuvo ese sueño. ¿Es parecida a su situación actual?

● Empiece por realizar una interpretación subjetiva (pág. 35), más tarde ya le buscará un significado objetivo.

3 Intente llegar a un significado concreto de su sueño. Si coincide con algún problema que usted tenga en la actualidad, adóptelo como afirmación (pág. 72) en su vida cotidiana.

Si no llega a ninguna interpretación satisfactoria, recurra a las sugerencias de la página 61. Y no olvide esto: ocuparse del sueño es más importante que lograr su interpretación.

Interpretación de los sueños de otras personas

*«Cuando estamos despiertos compartimos todos el mismo mundo.
Cuando dormimos vivimos cada uno en el propio».*
Heráclito (filósofo griego, 550-480 a.C.)

A todos los que se ocupan de los sueños les suele suceder que la gente les explique sus sueños (incluso en las situaciones más inverosímiles) en busca de una interpretación.

IMPORTANTE

Dos reglas importantes

● Tenga esto muy en cuenta: Todo lo que a usted se le pueda ocurrir respecto a los símbolos oníricos de otras personas es solamente aquello con lo que usted mismo los relaciona. Explíqueselo bien a la persona en cuestión. Y déjele también muy claro que la conversación acerca de sus sueños no es en absoluto una terapia y que no se trata de una interpretación de sueños profesional. Ofrézcale su interpretación como una opinión personal y subjetiva acerca del sueño y de su simbología. Dígale que solamente se trata de «una charla sobre sueños».

● No se le ocurra nunca ofrecer una interpretación que no le hayan pedido. Aunque lo hiciese de buena fe, sería descortés y equivocado. En el caso de intentar interpretar los sueños de otra persona, hágalo solamente si se lo solicitan de forma muy explícita. Sólo es posible realizar una interpretación correcta si la propia persona está realmente interesada en saber el significado de su sueño y colabora en la interpretación. En las interpretaciones forzadas esto no suele ser así.

■ Para poder efectuar una interpretación cualificada es necesario haber seguido unos estudios especializados. ¡El haber leído y estudiado este pequeño manual no le cualifica para realizar una interpretación profesional de los sueños de otras personas! Pero le ofrece la posibilidad de aprender a identificar los sueños de los demás y, de manera totalmente informal, ayudar a sus amigos y familiares a que comprendan un poco su simbología.

Saber dónde están los límites de uno mismo

Lo primordial no es lograr una interpretación perfecta

Ayuda para la autoayuda

No es imprescindible que llegue a comprender los sueños de los demás. Su misión es ayudar a la otra persona para que se ocupe de sus sueños y les busque un significado. Ayúdela a relacionar los símbolos de los sueños con su vida cotidiana. Intente prevenirla para que no se aleje demasiado de su sueño concreto ni se lo tome de un modo demasiado abstracto o intelectual. Y para ello no es necesario que usted llegue a entender ese sueño.

■ Para los que se inician en la interpretación de los sueños suele ser casi imposible llegar a comprender con claridad el sueño de otra persona dado que intentan imponerle su comprensión del mismo. Por tanto, ¡nunca discuta con alguien acerca de sus sueños! Un buen intérprete de sueños es un guía: orienta al soñador suave y pacientemente hacia la comprensión de sus sueños, sin forzarlo y sin ahorrarle ningún esfuerzo.

¡Nada de discusiones!

Aproximación progresiva

Vaya con precaución

1 Escuche el sueño atentamente, concéntrese en él, y en ningún caso intente buscarle un significado mientras se lo están relatando. Capte solamente el sueño y sus símbolos. Pregunte siempre que algo no le quede lo suficientemente claro.

2 A continuación le aconsejo que pregunte al soñador qué es lo que le ha parecido su sueño. Porque la única autoridad con respecto a ese sueño es la del propio soñador. Y él es el que siempre deberá tener la última palabra respecto a su significado.

3 Para poder hacerse una mejor idea acerca del sueño, plantéeselo como si lo hubiese soñado usted. Entonces podrá expresar mejor todo lo que ese sueño le sugiera. Pero no lo diga como si se tratase de una verdad absoluta, sino más bien como una pregunta.

Preguntas en vez de sentencias

Este ejemplo le mostrará a qué me refiero: Su amiga ha soñado que un coche derrapaba al tomar una curva.

Usted puede ayudarla diciéndole, por ejemplo: «Si yo hubiese soñado esto me plantearía qué es lo que significa no poder tomar una curva. Me preguntaría cuáles son aquellas ocasiones de mi vida cotidiana en que salgo derrapando».

No es en absoluto imprescindible que usted sea capaz de entender el sueño de otra persona. Pero puede ayudarle a encontrar su propio significado

René Magritte: Golconda

4 Normalmente, después de comentar algo así se iniciaría una conversación acerca del sueño. Procure hablar lo menos posible y deje que la otra persona se exprese a sus anchas. Ella es la que tendrá la primera y la última palabra respecto al significado de cada símbolo o a la experiencia vivida en el sueño.

El soñador es el protagonista

5 Al final de la interpretación es imprescindible que el soñador sea capaz de comprender por sí mismo el significado que hemos llegado a dar a su sueño.

Errores a evitar

Importante: un ambiente distendido y sin temores

● Durante la conversación es importante que usted se exprese a un nivel que sea perfectamente inteligible para el soñador y que no le produzca temores. No intente darse importancia ni dé a entender que sabe mucho de ese tema. A la otra persona esto no le servirá de ayuda.

● En estas interpretaciones de sueños no profesionales no hay que hablar de ningún tema que pueda asustar a la otra persona. En estas interpretaciones es importante conseguir un ambiente relajado y libre de miedos o angustias.

● También es muy importante que el asunto sea totalmente confidencial y de que lo que se comente acerca de los sueños nunca pueda llegar a oídos de otros. Los sueños y sus significados es algo que se ha de conservar como un secreto entre las partes implicadas.

Cómo profundizar las relaciones hablando de los sueños

La interpretación de sueños en familia o con la pareja es una excelente oportunidad para llegar a comprenderse mejor y para identificar a tiempo posibles desavenencias. Pero para esto es muy importante no actuar de forma moralista o sancionadora. Si no es así, es una irresponsabilidad interpretar los sueños de los demás.

Solamente son útiles los comentarios cariñosos

Lo ideal es que la familia o la pareja intente interpretar mutuamente sus sueños por la mañana a la hora del desayuno.

Cuando uno cuente sus sueños –y sólo deberá hacerlo si realmente quiere– el otro puede hacer algunos comentarios afectuosos, estimulantes y constructivos al respecto. Si el soñador reacciona o no ante ellos, eso ya es cosa suya.

Al interpretar los sueños de su pareja o de sus familiares evite criticar a los demás. Sería fácil hacerlo porque sabemos mucho acerca de los demás. Evítelo a toda costa, porque solamente serviría para destruir el ambiente de confianza mutua que debe reinar durante la interpretación de los sueños.

En Alemania, los *Traumbüros* se encargan de estimular y asesorar la interpretación de sueños en familia. Esta forma de trabajar los sueños, en la que los miembros de la familia se explican periódicamente sus sueños, es especialmente útil para reforzar los lazos de unión entre sus distintos miembros.

Estimular el trabajo con los sueños

Especial: Interpretación de los sueños infantiles

Estimular la expresión creativa

Al contrario de lo que sucede con los sueños de los adultos, los de los niños no hay que interpretarlos manteniendo una conversación. Es mejor que anime a sus niños a que dibujen lo que han soñado o a que lo representen jugando.

Solamente hay que darles explicaciones en el caso en que los niños las soliciten –como suele suceder cuando tienen pesadillas (pág. 85).

Una vida de ensueño

No es su subconsciente lo que me interesa, sino aquello de lo que usted es consciente.
(Freud en conversación con Salvador Dalí)

Ahora que ya sabe cómo puede interpretar sus sueños, de lo que se trata es de aplicar los conocimientos adquiridos a la vida cotidiana. Porque ¿de qué le serviría obtener la mejor interpretación si no extrajese ninguna consecuencia de ella?
Tiene que trasladar a la práctica lo que le enseñan los sueños, de lo contrario no haría más que seguir soñando variaciones sobre el mismo tema hasta agotar el repertorio.
En este capítulo aprenderá dos métodos para llevar a la práctica este proceso de integración.
Además, también encontrará sugerencias para tratar las pesadillas y para superar los estados de crisis mediante los sueños.

La energía de la afirmación

Integrar el
trabajo con los
sueños en la
vida cotidiana

Las afirmaciones pueden serle de gran ayuda si desea integrar el trabajo con los sueños en su vida habitual. Ayudan a recordar los sueños, a comprenderlos y a aplicar sus mensajes en la vida cotidiana.

Donde hay voluntad, también hay un camino

Goethe dijo en cierta ocasión: «Jamás he conocido a nadie que sea más pretencioso que yo. Nunca creí que hubiese algo por alcanzar, siempre creía que ya lo tenía». Deje que nosotros también seamos así de arrogantes y trabajemos con afirmaciones, algo que para el famoso escritor era totalmente natural.

¿Qué es una afirmación?

Expresiones
que ayudan a
que los deseos
se conviertan
en realidad

- Una afirmación es una frase que expresa algo que debe ocurrir como si ya hubiese sucedido –como por ejemplo «Me acuerdo de lo que he soñado» en vez de «Voy a recordar lo que he soñado».
- Es una oración breve, concisa y carente de cualquier tipo de negación, es decir, «me siento seguro» en vez de «no me siento inseguro».
- Es un modo muy eficaz para conseguir que un deseo se convierta en realidad.

▶ Uno crea sus propias afirmaciones y las repite tres veces al día en voz alta o mentalmente. Para que la afirmación sea realmente efectiva hay que repetirla siempre con el mismo tono de voz. Para reforzar su efecto puede escribirla en un papel y guardárselo en la cartera para llevarlo siempre encima o colocarlo sobre la mesa de su despacho.

Encuentre sus propias afirmaciones

A continuación voy a mostrarle algunos ejemplos de afirmaciones a partir de las cuales podrá construir fácilmente las suyas propias. Las afir-

Ejemplos de
trabajo con los
sueños maciones propias siempre tienen la ventaja de estar orientadas hacia las necesidades de uno mismo.

Entre otras cosas, las afirmaciones se emplean muy a menudo para poder recordar mejor los sueños. Pueden usarse afirmaciones del tipo de:

«Recuerdo mis sueños fácilmente y sin ningún esfuerzo».

También son útiles para facilitar la comprensión de lo que se ha soñado. Como por ejemplo:

«Entiendo perfectamente lo que significan mis sueños».

Más adelante podrá formular afirmaciones para «encargar» sueños concretos. Esto es muy importante para poder solucionar problemas con la ayuda de los sueños (lo veremos en la página 86). En este caso se emplearían afirmaciones del tipo de:

«En sueños veo mis problemas desde una nueva perspectiva».

Cómo influir en los sueños mediante las afirmaciones

Si se desea emplear las afirmaciones para influir en los sueños o en la manera de recordarlos, es importante evitar dormirse con esas afirmaciones. Por la noche

▶ Cuando se acueste, repítase un par de veces las afirmaciones antes de dormirse y luego olvídese de ellas. Lea un poco o piense en otras cosas. Lo mejor sería que diese un repaso mental a lo que ha hecho durante todo el día.

¡Un poco
de paciencia! Las afirmaciones no surten efecto de un modo inmediato. Por tanto, no pierda la paciencia. Para que una afirmación pueda actuar es necesario que antes penetre en su inconsciente para que pueda ser asimilada. Según he podido comprobar personalmente, las afirmaciones necesitan unos tres días antes de poder ser efectivas.

Sueños por encargo

Si desea «encargar» determinados sueños porque busca la respuesta a cierta pregunta, es necesario que se ocupe de sus sueños por lo menos una semana después de haber formulado su primera afirmación.

Interpretar por
lo menos un
sueño cada
noche

▶ Durante este tiempo, intente recordar e interpretar por lo menos un sueño cada noche. La probabilidad de que obtenga respuestas a sus preguntas son muy elevadas.

Pero, de todos modos, esa respuesta estará codificada en símbolos, ya que los sueños nunca nos hablan directamente. Le será de gran ayuda que durante el tiempo en que trabaje con la afirmación intente descifrar cada sueño como una respuesta a ésta.

Cuando lleve uno o dos años trabajando regularmente con sus afirmaciones, sus sueños reaccionarán ante ellas de un modo más rápido y evidente.

Cumplir las órdenes de los sueños

También puede emplear las afirmaciones para reforzar mucho el efecto de los sueños.

▶ Medite qué es lo que el sueño pretende comunicarle. Convierta esta conclusión en una afirmación, escríbala y repítasela mentalmente varias veces al día. Así no se limitará a conseguir una interpretación, sino que aprenderá a conectar en el consciente los deseos de su inconsciente.

Fijar el
significado del
sueño en el
consciente

Un ejemplo de este tipo de afirmaciones podría ser:

«Voy al examen tranquilo y seguro de mí mismo».

SUGERENCIA

¿Sus sueños no responden a las afirmaciones?

Si le parece que no puede influir en sus sueños mediante las afirmaciones, compruebe lo siguiente:

• ¿Realmente desea que se cumplan sus afirmaciones?

• ¿Ha formulado su afirmación sin que contenga ninguna negación?

• ¿Pronuncia su afirmación tres veces al día?

• ¿Interpreta cada sueño como una reacción a su afirmación?

Si realmente cumple todas estas condiciones, la falta de efectividad de sus afirmaciones solamente puede deberse a que pretende forzar los resultados. Y el inconsciente no se deja presionar.

Jugando con sueños. La técnica de la ensoñación

Los sueños nocturnos y los diurnos siguen las mismas leyes. Ambos son producto de nuestra imaginación, y ambos se pueden interpretar de la misma manera. Entre el estado de vigilia consciente y el sueño se produce una transición muy fluida en la que el sueño diurno (ensoñación) está muy próximo al estado de vigilia consciente y el sueño nocturno está próximo al inconsciente.

Relacionar el consciente con el inconsciente

Cuando hablo de técnicas de ensoñación no me refiero a las imaginaciones que podamos tener de forma espontánea a lo largo del día, sino a una imaginación guiada en parte de forma consciente que se ha planificado de antemano y cuyo punto de partida es un sueño real.

La técnica de las ensoñaciones se sitúa exactamente en ese indefinible límite que separa el consciente del inconsciente; es una forma de unir activamente ambos mundos entre sí.

Soñar despierto

Si se observa con detenimiento se dará cuenta de que a lo largo del día usted sueña de forma más o menos constante y casi siempre machacona y reiteradamente sobre el mismo tema, al contrario de lo que sucede en los sueños nocturnos.

Temas habituales de ensoñaciones «normales»

El principal tema de las ensoñaciones suele hacer referencia a su rendimiento personal. Generalmente sueña acerca de sí mismo y de la forma de compensar sus debilidades, frustraciones y ofensas. Es habitual verse a uno mismo de la forma en que normalmente ve a su jefe, a su mujer o a cualquier persona a la que admire por su brillantez.

Las ensoñaciones son una proyección hacia el futuro

Pero la rapidez de actuación y la toma de decisiones también son otros dos importantes temas de las ensoñaciones, porque soñar despierto es como realizar un experimento: es como un juego de arcilla con el que se pueden poner a prueba distintos modos de comportarse o de actuar.

Nuestras ensoñaciones nos sirven para proyectarnos hacia el futuro, y por eso es tan importante ser capaz de controlar conscientemente las ensoñaciones. Haga que cada ensoñación acabe de un modo positivo. Si se

PRÁCTICA

76

Jugando con sueños. La técnica de la ensoñación

Ensoñaciones «saludables»

esfuerza regularmente en ello, su vida cotidiana le resultará mucho más dichosa.

Soñar despierto le servirá para orientarse hacia su meta y desarrollar nuevas estrategias. Por tanto, es una actividad «sana». Pero solamente si no se convierte en una actividad tan excesiva e inconsciente que nos haga perder la relación con nuestro entorno. Sin embargo, enfocada conscientemente estimula la independencia personal y la autoestima. Desde los tiempos más antiguos es sabido que todos los sucesos aparecen en sueños antes de que se manifiesten en la vida real (pág. 8).

Imaginación dirigida por el consciente

El método de las ensoñaciones nos permite emplear los sueños diurnos para determinar nuestra vida. La ensoñación consciente es una ayuda vital, y esta ayuda podemos emplearla también para nuestros sueños nocturnos.

▶ En el método de las ensoñaciones cerramos los ojos y nos imaginamos un sueño nocturno con la máxima precisión posible (ver visualización, página 79).

Convertir los sueños nocturnos en algo positivo

Cuando tengamos una imagen más o menos clara, modifiquémosla para que adquiera un sentido positivo. Es importante aceptar también las imágenes oníricas que se nos aparezcan de forma espontánea. Es posible que determinemos el sentido del sueño, pero no podemos evitar que el inconsciente haga aparecer espontáneamente algunas imágenes.

Ejemplo de «sueño persecutorio»

Pesadillas con un final feliz

Esta técnica es de gran utilidad para eliminar los temores y angustias de las pesadillas. Tome por ejemplo el típico sueño persecutorio en el que usted se ve perseguido por el malo. En vez de huir, cambie el guión de su sueño y plántele cara al malo. Es fácil efectuar este cambio ya que en las ensoñaciones puede intervenir su consciente.

Lo importante es que no sólo piense en este cambio, sino que también lo visualice en imágenes.

Empiece por imaginar que usted se vuelve hacia su perseguidor y le pregunta qué es lo que desea de usted. Luego vuelva a dar rienda suelta

Enfrentarnos
a lo que nos
asusta

a las imágenes y observe cómo aquella situación tan inquietante se ha transformado en otra mucho más tranquila. El esfuerzo que ha realizado para transformar los temores de sus sueños puede aplicarlo ahora para mejorar su vida cotidiana. Al mismo tiempo, comprenderá que sus temores se engendran por su huida. Si usted afronta los acontecimientos antes de llegar a sentir miedo, los temores nunca llegarán a hacer su aparición.

De este modo pueden transformarse muchos sueños. Por ejemplo, puede hacer que sus sueños de caída se transformen en sueños de vuelo. Ataque en aquellos sueños en los que normalmente es atacado y pase de víctima a agresor.

Si usted se ve en sueños como un vencedor, como un ser afortunado, su vida también experimentará un giro positivo. Es un hecho conocido que las personas que tienen suerte y éxito en la vida también se ven afortunadas en sus propios sueños. Naturalmente, estas personas emplean el método de ensoñación diurna para crear una visión personal de sus vidas.

Deje que sus sueños de caída se transformen en sueños de vuelo. ¡Conviértase en el personaje afortunado de sus propios sueños!

Continuar los sueños

Es probable que alguna vez le apetezca seguir soñando un determinado sueño. Las ensoñaciones le permiten esta posibilidad.

Dejar que fluyan las imágenes

▶ Cierre los ojos, recuerde el sueño con el máximo detalle posible y al llegar al final deje que las imágenes sigan fluyendo. Puede dejar que las imágenes sigan fluyendo con naturalidad o emplear su imaginación para intervenir en el sueño y conducirlo hacia un final positivo.

PRÁCTICA

78

Jugando con sueños. La técnica de la ensoñación

Encárguese de
la dirección

Lo mismo se puede hacer cuando no se recuerda el final de un sueño o cuando se recuerda de forma incompleta. Emplee su imaginación para jugar con estos sueños y se dará cuenta de que en la vida real también puede tratar los acontecimientos del mismo modo.

Cómo comprender mejor los símbolos oníricos

En el método de las ensoñaciones nos relacionamos con nuestros sueños de una forma activa, lo cual produce un efecto mucho más profundo que si nos limitamos solamente a buscar el «significado» de un sueño. Además, el método de las ensoñaciones nos puede ser muy útil para mejorar nuestra comprensión de los sueños. Se lo mostraré mediante este ejemplo:

▶ Recupere en su memoria alguna de las personas que hayan aparecido en sus últimos sueños. Cierre los ojos e imagínese a esa persona con el máximo detalle posible. Una vez haya conseguido una imagen nítida, empiece a formularle preguntas. Así podrá averiguar qué es lo que simboliza en sus sueños, por qué se aparece precisamente ahora y qué es lo que desea decirle. Al principio puede suceder que su mente crítica se oponga a esta manifestación del inconsciente. Es probable que considere que las preguntas a la persona soñada son solamente «fantasías». No deje que le confunda.

Pregunte a las
personas que
se le aparecen
en sueños

Sean fantasías o no, el caso es que tanto los sueños nocturnos como las ensoñaciones diurnas son producto de la imaginación.

Cómo influir en los sueños nocturnos

El mejor
momento
es antes
de dormirse

El método de las ensoñaciones nos permite convertirnos en soñadores activos, y es mejor ponerlo en práctica por la noche antes de irnos a dormir.

Esto tiene la ventaja de que así no se limita a deambular por su vida onírica, sino que puede seguir el hilo de los sueños siguientes. Está comprobado que nuestros sueños suelen regresar a las ensoñaciones diurnas y luego siguen haciendo elucubraciones sobre ellas.

Esto significa que con el método de las ensoñaciones se puede influir en los sueños nocturnos para hacer que nos ayuden a trabajar en nuestras perspectivas vitales positivas. Cuanto más activamente trabaje sus sueños de este modo, más fácil le será dirigirlos.

El arte de la visualización

Hágase una imagen mental

La visualización es una parte importante del método de la ensoñación. La visualización clásica es la que se produce cuando cerramos los ojos y vemos conscientemente un sueño con el máximo detalle. Pero no hace falta que se trate de una representación con precisión fotográfica. La visualización se inicia ya cuando pensamos intensamente en algo. Recreamos de un modo u otro una determinada imagen o situación.

Si no ve ninguna imagen correcta

Hay personas a las que les muy fácil imaginar visualmente un sueño, y otras a las que les cuesta mucho conseguirlo. Generalmente basta con que se imagine el sueño en cuestión. Si le cuesta imaginarlo visualmente, no se sienta obligado a forzarse para intentar verlo en imágenes. Para aplicar el método de las ensoñaciones es suficiente con que se concentre totalmente en el sueño. También así le será posible alterar el sueño y relacionarse con los símbolos que aparecen en él.

Refuerce su visualización

SUGERENCIA

Ejercitar la visualización

A mis clientes les recomiendo este sencillo y eficaz ejercicio que potencia tanto la visualización como el recuerdo de los sueños.

▸ Tómese cada día un momento concreto en el que por unos instantes pueda concentrarse y percibir claramente su entorno, cierre los ojos e imagínese esa imagen tan detalladamente como le sea posible.

A continuación, ábralos de nuevo y compare la realidad con lo que había imaginado.

No se sienta forzado

Este ejercicio no dura más de un minuto, pero si lo realiza regularmente potenciará su capacidad de visualización y mejorará su percepción tanto de las imágenes internas como de las externas. De esta forma, hasta la persona más negada puede llegar a ser capaz de visualizar sus sueños.

PRÁCTICA

80

Jugando con sueños. La técnica de la ensoñación

Penetre en sus imágenes internas

Un símbolo suele ser suficiente

● En las ensoñaciones no suele ser necesario visualizar un sueño entero. Para encontrar un significado profundo puede bastar con un símbolo o una única situación onírica. Lo mejor es elegir algo a lo que todavía no le hayamos encontrado ningún sentido.

● A la larga, las imágenes cambian. Las nuevas imágenes constituyen un intento de su inconsciente para interpretar el sueño en cuestión. Por tanto, no considere la alteración de las imágenes como un indicio de que usted empieza a rendirse, sino como de la interpretación que está llevando a cabo su inconsciente.

Las imágenes cambian

Por ejemplo, fíjese en si las imágenes le conducen a situaciones positivas o negativas.

Pregúntese: ¿Qué aspecto tienen esas situaciones?¿De qué me suenan a mí estas situaciones, o similares, en mi vida real?¿Me producen algún tipo de temores estas situaciones?¿Qué es lo que podría haber hecho mejor en tales situaciones?

Si aparecen imágenes atemorizadoras

● Preste especial atención a aquello que le dé miedo. Si durante la visualización emerge una imagen que le atemorice, reténgala. Fíjese bien en ella –puede tranquilizarse diciéndose que sólo se trata de una imagen– y háblele. Se dará cuenta de que en el momento en que toma parte activa en el asunto se empiezan a desvanecer sus temores. Y esto es algo que también sucede en la vida cotidiana, en la que hay que tener menos miedo y saber reaccionar activamente.

● Pero si no se atreve a enfrentarse a aquello que le atemoriza, transforme conscientemente la imagen atemorizante en una imagen positiva. Se dará cuenta de que usted mismo es quien produce sus mundos imaginarios. Sí, que usted es el único responsable de esas imágenes que visualiza.

Con la visualización usted se hace cargo de la responsabilidad de sus imágenes –sean sueños nocturnos o ensoñaciones diurnas–. A fin de cuentas, el trabajo con los sueños es que no sea el sueño el que dirija al consciente, sino que usted conscientemente dirija sus sueños. Las imágenes que se le aparecen en sueños son sus consejeras, ni más ni menos, y le proporcionan datos acerca de su inconsciente.

Tomar la responsabilidad

Usted puede dejar que los sueños le inspiren, pero la capacidad de decisión acerca de su vida debe tenerla solamente el consciente. El método de la ensoñación le ayudará a emplear las imágenes de sus sueños para organizar conscientemente su vida.

Las pesadillas

El sueño de la razón engendra monstruos.
Francisco de Goya (pintor aragonés, 1746-1828)

El «mazo»
del alma

La pesadilla es algo así como el mazo del alma. Cuando no prestamos atención a todas las demás advertencias –generalmente sutiles– que nos llegan de la vida cotidiana y de los sueños, entonces las pesadillas acaban haciendo su dramática aparición en el escenario para intentar «despertarnos» de una vez.

La fuerte emoción que provocan esos sueños hace que nos despertemos bruscamente, con lo cual es seguro que vamos a recordar lo que hemos soñado. Este motivo es el que hace que debamos considerar las pesadillas como unos sueños especialmente importantes, porque contienen un mensaje tan interesante que ellos mismos se ocupan de que los recordemos. Siempre contienen una advertencia que ya no puede seguir pasando desapercibida.

Cómo identificar su mensaje

Consejos para problemas concretos

Los sueños
se refieren a
asuntos de
actualidad

Las imágenes de las pesadillas siempre hacen referencia a problemas que usted está viviendo en estos momentos. Las pesadillas siempre tratan temas de actualidad, y eso es algo que hay que tener muy en cuenta a la hora de interpretarlas. Nos proporcionan indicaciones muy precisas y valiosas para que modifiquemos nuestra vida.

Advertencias
importantes

Muchas veces, el soñador es demasiado perezoso, o le da demasiado miedo seguir las indicaciones que recibe. En ese caso no hará más que provocar más pesadillas. Si sigue ignorando sus indicaciones corre el riesgo de contraer una enfermedad psicosomática. Por tanto, las pesadillas son también un intento de nuestra mente para protegernos de las enfermedades. Si no prestamos atención a lo que nos dicen los sueños, será el cuerpo quien nos hable a través de sus síntomas.

Tratar
situaciones de
inseguridad

Las pesadillas suelen hacer su aparición en épocas de cambios o de crisis. Son una expresión de nuestra inseguridad y una reacción saludable. No sólo nos advierten de lo que tenemos que cambiar, sino que al mismo tiempo nos preparan para una nueva situación.

Primeros auxilios en caso de pesadillas

▶ Sería un grave error ignorar las pesadillas y no hacerles caso. No se diga a sí mismo que: «Sólo se trataba de un sueño».

● Si se despierta emocionalmente sobresaltado, fíjese en su sueño todo lo atentamente que pueda.

Recordar –
tranquilizar –
anotar

● Para tranquilizarse puede hacer lo siguiente: siéntese en la cama con las piernas flexionadas y ponga la cabeza hacia delante. Si quiere puede colocarla entre las rodillas. Ahora, diga su nombre en voz alta: «Yo soy…».

Esto le ayudará a estabilizarse y a eliminar los temores.

● Es importante que se anote esquemáticamente lo que ha soñado (pág. 65).

Importante: ¡La interpretación, al día siguiente!

■ Una pesadilla siempre requiere ser trabajada al día siguiente. Es muy importante estudiarla cuidadosamente e interpretarla de modo subjetivo (pág. 35).

Símbolos de
crisis internas
o externas

Considere las imágenes terroríficas del sueño como símbolos del estado de confusión interna que suele experimentarse en cualquier estado de crisis. Cuanto más grave sea la crisis, más impactante será la pesadilla.

Estos temores se deben a que la seguridad que necesitamos vivir está viéndose afectada por su base. Tenemos la sensación de ser víctimas de situaciones que ya han escapado a nuestro control. El miedo a perder el control es típico de las pesadillas. Pero, al mismo tiempo, cada pesadilla nos muestra la forma en que podemos recuperar dicho control.

En las pesadillas es especialmente importante hacer caso a estas advertencias (página 56).

Importante:
¡Fíjese en la
parte positiva!

Aquello a lo que no prestamos atención se convierte en amenaza

Parta de la base de que aquello que le amenaza en sueños siempre es algo que usted ha descuidado durante mucho tiempo. Esta falta de aten-

En las pesadillas tenemos la sensación de ser víctimas de una situación que se escapa a nuestro control

ción es la que hace que esa parte de usted se vuelva «mala» y se vuelva en su contra. Pero se trata de una energía potencialmente creativa que, a causa de su falta de atención, solamente se puede mostrar en parte. Por esto sería un error empequeñecer la amenaza y hacerla inofensiva. En vez de eso, lo que ha de hacer es enfrentarse (finalmente) a ella.

Una energía potencialmente creativa

Lo «malo» es en realidad lo «bueno»

Ejemplo «perro peligroso»

Para entenderlo mejor, estudiemos una pesadilla típica: A uno de mis clientes lo abandonó su mujer, y la separación se le hizo muy difícil de soportar. Una noche soñó que estaba en una cabaña de madera y que fuera había un perro gigantesco y muy agresivo que quería entrar en la casa. Con una de sus enormes patas ya casi había derribado la pared. En ese momento, mi paciente se despertó temblando de miedo y empapado en sudor.

Esta persona se sentía –como suele suceder cuando a uno le abandonan– totalmente incapaz de hacerse cargo de la situación. Sería un gran error que él se dijese que no existen perros tan grandes y tan fuertes. Es mucho más productivo contemplar el perro como el símbolo de una energía potente y salvaje que quiere llegar hasta él. En la situación actual de esa persona, era una referencia clara a su capacidad de salir adelante. A

Símbolo de
una energía
potente y
salvaje

causa de sus remordimientos, durante todo el proceso de separación había asumido una actitud totalmente pasiva que le hizo llegar a asumir el papel de víctima. Se sentía como «un perro apaleado», y ahora el sueño le mostraba la cara opuesta en forma de un perro salvaje que más bien parecía un lobo gigante. Lo positivo de esta imagen está en que hace aflorar una gran energía vital que le muestra que ha de abandonar el papel de víctima. Es frecuente que en las pesadillas se trate de pasar de víctima a agresor.

Pasar de
víctima a
agresor

Buscar soluciones positivas

Trabajar con el
método de las
ensoñaciones

En las pesadillas también es muy útil buscar soluciones positivas. Una vez localizadas, conviene emplear el método de la ensoñación para darles un cariz positivo y poder emplearlas eficazmente para cambiar la situación vital.

Así, al paciente que había sido abandonado por su mujer le recomendé que imaginase que abría la puerta al perro salvaje para dejarlo entrar en la cabaña. En un caso ideal, a lo mejor lograría persuadir al perro de que se convirtiese en su guardián.

Al principio, mi paciente tuvo una visualización problemática: quería domesticar a la fiera y convertirlo en un perro faldero. Pero con ello habría reducido su energía vital y su masculinidad que, entre otras cosas, eran lo que simbolizaba el perro en ese sueño.

Cambio de perspectiva

Otra posibilidad habría sido que el paciente hubiese empleado el método de la ensoñación para intentar vivir el sueño desde la perspectiva del perro. Porque también es posible superar el miedo a base de transformarse en el elemento atemorizante del sueño. Incluso es posible aumentar su intensidad, lo cual en nuestro ejemplo supondría convertir el perro en lobo.

Transformarse
en aquello que
nos atemoriza

> IMPORTANTE

El elemento fuerte de la pesadilla –o sea, lo que realmente nos asusta– nunca hay que intentar domesticarlo o reducirlo dado que con ello solamente limitaríamos nuestra energía vital, y en las situaciones de crisis nos es especialmente necesaria. Es mucho mejor aliarse con el fuerte –después de todo, en los sueños no hay nada imposible…

▶ Piense siempre en nuevas soluciones para una pesadilla. Busque la forma de hacer que las suyas

SUGERENCIA

Pesadillas infantiles

Todo lo que he descrito hasta ahora se refiere a las pesadillas de los adultos. En éstos, la pesadilla es siempre una señal de alarma. En los niños es muy distinto.

Los niños es normal que tengan pesadillas en determinadas fases de su crecimiento. Sería un gran error que los padres se asustasen por estas pesadillas o que intentasen convencerse de que «solamente es un sueño».

Es normal que los niños vivan «fases de pesadillas»

A pesar de que las pesadillas infantiles no contienen ninguna advertencia ni ninguna señal de alarma, conviene prestarles atención y fijarse bien en sus contenidos.

La reacción correcta

Los padres que animan a sus hijos para que «se olviden de ello» no hacen más que prolongarles la fase de las pesadillas.

Sin embargo, los padres que comentan las pesadillas con sus niños consiguen que la fase de las pesadillas infantiles sea más breve.

Lo que no sería nada adecuado es que los padres pretendiesen lograr una interpretación de los sueños de sus hijos. Para interpretar los sueños infantiles es mejor pedir que los expresen mediante un dibujo, o en forma de juego.

Cuanto mayores seamos, mejor nos conozcamos y más experiencia tengamos para salir adelante de las crisis y situaciones conflictivas, más raro será que tengamos pesadillas. Por tanto, es absolutamente normal que los adultos tengan menos pesadillas que los niños.

tengan un final positivo o transfórmese usted mismo en aquello que le atemoriza. Siéntase dentro. En las pesadillas es especialmente útil recurrir al método de la ensoñación para jugar con las imágenes y alterarlas activamente. Con ello abandonará su papel de víctima que, entre otras cosas, es la causa de sus angustias y temores.

Jugando con pesadillas

Cómo superar las crisis trabajando con los sueños

Los sueños son un laboratorio en el que experimentamos con las alteraciones de nuestra vida espiritual.
Ernest Rossi (investigador contemporáneo)

Las crisis y los problemas no se pueden evitar, corresponden a nuestra condición de seres humanos. Pero trabajando los sueños se puede conseguir que una situación opresiva se transforme en otra productiva.

La intuición nos proporciona soluciones creativas

Conceptos mentales que nos obstaculizan

Los problemas y las crisis debemos considerarlos como retos que se nos plantean. En gran parte, se basan en conceptos mentales que nos obstaculizan. Esto significa que se produce una fijación en las ideas propias y que por tanto se crea un círculo vicioso del que es muy difícil salir. Por esto no se encuentran fácilmente soluciones creativas.

Las estrategias intuitivas, que proceden del mundo onírico, son las que mejor se adaptan para intentar buscar soluciones a los problemas de la vida cotidiana, dado que normalmente carecemos de los conocimientos necesarios para tomar decisiones lógicas y racionales. En la vida cotidiana generalmente tenemos que hacernos rápidamente una imagen a partir de muy pocas informaciones, y esto ha de servirnos para poder actuar. Aquí es dónde nos ayudan el soñar, que es una especie de forma universal de la creatividad.

Por la noche, cuando no hay ninguna lógica que se encargue de mantener el orden, nuestros pensamientos se convierten en sueños. Este aparente «desorden» es en realidad un orden en otro plano, un orden que nos permite ver y solucionar nuestros problemas de otra forma porque no está ligado a nuestra rígida y automatizada forma de pensar.

El sueño tiene su propia lógica

Los dichos populares hace mucho tiempo que reflejan estas posibilidades de los sueños: siempre se recomienda «consultar con la almohada».

Y ha habido muchas personas, como Albert Einstein (1879-1955) a las que un sueño les ha proporcionado la inspiración para solucionar un problema. Einstein, que muy acertadamente anotaba siempre todos sus sueños y les buscaba un significado, soñó un veloz descenso en trineo que le llevaría a formular la teoría general de la relatividad.

Soluciones originales gracias a los sueños

Pero para que sus sueños le inspiren soluciones originales que le ayuden a solucionar sus problemas no es necesario que usted sea un genio como Einstein. El sueño y su significado siempre nos ayudan a percibir mejor una determinada situación y con ellos nos estimulan a desarrollar el consciente. Nos proporciona una percepción superior a la norma, porque la inteligencia onírica abarca un campo más amplio que el de la inteligencia cotidiana. Más allá de nuestro estado consciente diurno existe una realidad mucho más amplia con la que solamente entramos en contacto durante los sueños.

Interpretación de los sueños orientada a la solución de problemas

Todos los sueños son expresiones de los problemas que a usted le afectan. Por tanto, su misión consiste en interpretar los sueños orientándose hacia dichos problemas.

Cada sueño expresa algún problema actual

Esta interpretación será el primer paso hacia la solución del problema; el segundo paso consistirá en trasladar los impulsos del sueño a la vida cotidiana.

En busca de advertencias

▶ Por lo tanto, busque en sus sueños indicaciones que le proporcionen una nueva visión de sus problemas actuales. De todos modos, no espere que el sueño le indique concretamente qué es lo que ha de hacer. Le hablará en un lenguaje simbólico que solamente es comprensible a través de la interpretación.

Pero si usted ya sabe que los sueños se enfrentan a los problemas a su manera, le será mucho más fácil descifrarlos. Sabe de antemano a qué se refieren sus símbolos.

En sus sueños, tenga en cuenta lo siguiente

• Intente comprender tanto el sueño en su totalidad como cada uno de sus símbolos en función de sus problemas actuales o de la crisis por la que esté pasando.

Relacionarlo todo con el mismo tema

Formular
respuestas
concretas

• Preste especial atención al comportamiento de los personajes que se le aparecen en sueños, y sobre todo a su yo onírico. ¿Reconoce pautas de comportamiento o estrategias que valdría la pena probar?

• Fíjese bien en los caminos, calles y carreteras que aparecen en sus sueños. ¿A dónde conducen? ¿Cómo se desplaza usted por ellas?

• ¿Dónde o cuándo se encuentra usted bien, y dónde no? ¿Cómo puede interpretarse esto en relación a su problema?

• Al final, plantéese estas preguntas: ¿Se me ofrece una nueva visión de mi problema? ¿Cómo debería cambiar mi modo de vida? ¿Cómo podría mejorar mi eficacia?

• Escriba todo ello en una hoja de papel o, mejor aún, en una tarjeta que pueda tener bien visible en su lugar de trabajo. En un caso ideal, también podría anotar cómo le gustaría cambiar determinadas situaciones.

Sueños por encargo

Muchas veces, los sueños vienen en nuestra ayuda durante los puntos álgidos de un estado de crisis. Pero también podemos hacer algo para que se ocupen de nuestros problemas más habituales. Para ello disponemos básicamente de tres posibilidades:

▶ El método de las afirmaciones (pág. 72) le será de gran utilidad para hacer que sus sueños nocturnos se ocupen de sus problemas y que usted sea capaz de comprender sus consejos. Para ello, interprete cuidadosamente los sueños de las dos semanas siguientes en función de su problema actual. Si lo hace con regularidad, sus sueños cada vez reaccionarán de forma más clara a sus planteamientos.

Trabajar con
afirmaciones

▶ Otro modo de aumentar la efectividad de su sistema nocturno para la resolución de problemas: Antes de dormirse, repase todo lo que ha hecho durante el día hacia atrás. Empiece por el momento de irse a la cama y siga hacia la cena, la tarde y finalmente la mañana. Cuide de que se manifieste su problema. Exprese sus sentimientos al respecto.

Repasar
mentalmente
la jornada

Puede hacerlo cada día, pero no se olvide de que por la mañana deberá anotar brevemente cada sueño e intentar buscar en él alguna orientación que le sea útil para solucionar su problema.

Al principio es probable que se duerma mientras está repasando su jornada. Si esto solamente le sucede ocasionalmente no influirá mucho en la eficacia del ejercicio.

En vez de preocuparse y darle vueltas, deje que sea el sueño el que se ocupe del problema, puede proporcionarle consejos y soluciones geniales

▶ La tercera posibilidad es para muchas personas la más difícil, pero algunas la encuentran muy fácil. Pruébela durante una semana y vea si se adapta a usted o no.

Anótelo todo en su diario

Para ello necesitará un cuaderno (para trabajar con sueños es imprescindible llevar un diario). Antes de irse a dormir, escriba en su cuaderno todo lo que se le ocurra respecto a su problema. A continuación, dé por supuesto que esa noche va a soñar con su problema. Propóngaselo con la misma frialdad y normalidad con la que se propondría limpiar una ventana. Por la mañana, al levantarse, analice a fondo sus sueños para ver si expresan algo respecto a su problema.

Pruebe las tres posibilidades

Para comprobar cuál de estas posibilidades es la que mejor le va, no tendrá más remedio que probarlas todas.

Si se practican regularmente, las tres le proporcionarán unos sueños cada vez más concisos y una mejor comprensión de los mismos, de modo que su inconsciente siempre estará disponible para asesorarle.

La utilidad del método de la ensoñación

Para solucionar problemas y superar estados de crisis también se puede recurrir al método de la ensoñación. Por ejemplo, si un sueño hace que se despierte sobresaltado o atemorizado no deje que esto le impida trabajar con él.

Visualice un objetivo

▶ Piense qué es lo que le gustaría alcanzar o que desearía modificar. A continuación, emplee ese sueño como punto de partida para una ensoñación en la que usted logra su objetivo fácilmente y apenas sin esfuerzo.

Para ello, recuerde su sueño nocturno una vez más y con tanto detalle como pueda, y dele un giro positivo.

Todo esto sucede solamente en su imaginación, y por tanto tiene plena libertad para efectuar todas las variaciones que le parezca.

Trabajando el sueño de esta forma no sólo superará los estados depresivos, sino que también obtendrá una actitud más positiva ante la vida.

Superar los estados depresivos

Si lo hace habitualmente, su vida se hará más fácil y los sueños le aportarán soluciones prácticas que usted será capaz de reconocer inmediatamente. Trabajar con sueños es experimentar.

Si va a emplear un sueño como materia prima para orientar conscientemente la imaginación, no es necesario que se esfuerce en interpretarlo. Las modificaciones que va a crear en él ya son suficiente interpretación.

Trabajar con sueños es experimentar

Del mismo modo puede proceder cuando desee probar nuevos comportamientos en los sueños. Si en momentos difíciles un sueño acaba de forma confusa o desgraciada, intente emplear el método de la ensoñación para que su yo onírico se comporte de otro modo.

Intente comportarse de otra manera

▶ Piense en actuaciones alternativas y llévelas a cabo en sus ensoñaciones. Primero ha de orientar conscientemente la actuación prevista, y luego dejarla ir para que su imaginación se encargue de seguir adelante.

Observe detenidamente a dónde le lleva su nueva forma de actuar. Se trata de un experimento en el plano onírico que le ayudará a evitar los comportamientos automáticos.

■ Cuanto más practique estos experimentos con los sueños, mayor será la agilidad con la que podrá reaccionar en la vida cotidiana para superar las crisis que puedan aparecer.

SUGERENCIA
Unos guías muy sabios

En algunos sueños a veces se nos aparecen personas sabias como maestros, ancianos o incluso familiares ya fallecidos. Si considera que estas personas tienen un nivel espiritual superior al suyo propio, puede emplearlas como guías para sus sueños. En los sueños, las personas sabias e inteligentes personifican su yo más elevado, su voz interna. Intente mantener un diálogo con ellas. Si se fija bien en sus sueños durante algún tiempo, seguro que encontrará un guía que le orientará y que le protegerá en los momentos de peligro o necesidad como si fuese el ángel de la guarda.

Acuda a este personaje onírico durante sus ensoñaciones diurnas y hable con él. Conviértalo en su espíritu colaborador. Cuanto más se relacione con él, más se le aparecerá en los sueños. A lo mejor, a través de estas conversaciones consigue un buen guía para sus sueños. Sea como sea, para muchas personas es un consejero insustituible en tiempos difíciles.

Para finalizar

Lo verdaderamente sorprendente de los sueños es que cada noche nos ofrecen la posibilidad de observar en profundidad el funcionamiento de nuestro consciente. Usted podrá observar qué es lo que realmente le satisface y qué es lo que le atemoriza, lo que ama y lo que odia y, sobre todo, lo que rechaza y por tanto lo que en sueños le rechaza a usted. Es decir, el sueño le muestra cómo se ve usted a sí mismo y el mundo que le rodea. De este modo le indica la forma en que usted valora constantemente su entorno (porque con su percepción lo que hace es valorar). Por consiguiente, si no está conforme con su mundo, cambie sus sueños. Esto es la alta escuela en el trabajo con sueños: acepte sus sueños sin evaluarlos y juegue con ellos. Considere los símbolos y situaciones oníricas como piezas con las que puede construir otro mundo. Emplee los elementos del sueño del mismo modo que un pintor emplea su paleta de pinturas para crear su propia visión del mundo. Su vida reaccionará de forma positiva ante esta visión, como si siempre la hubiese estado esperando.

¡Sueñe su vida y viva sus sueños!

Los sueños reflejan su percepción de la realidad, es decir, su realidad

Para saber más

DELANEY, GAYLE M.V. *El mensaje de los sueños*; Círculo de Lectores, Barcelona, 1992.

FREUD, SIGMUND. *Introducción al psicoanálisis*; Alianza Editorial, Madrid, 1979.

PIERCE, J. R. *Símbolos, sueños y ruidos*; Revista de Occidente, Madrid, 1962.

Acerca de este libro

Noche tras noche, nuestros sueños nos ofrecen ayuda y consejo en todos los ámbitos de nuestra existencia: muchas veces nuestro subconsciente piensa con mucha mayor claridad que nuestro consciente y sabe ver lo que nos conviene, qué es lo que deseamos y cómo podemos solucionar nuestros problemas. Este libro le mostrará el modo de interpretar el lenguaje codificado de la mente y a sacar provecho de los mensajes de los sueños:

● Descubrirá qué son realmente los sueños y encontrará muchos consejos concretos para conseguir recordarlos mejor.

● Los símbolos de los sueños no sólo tienen un único significado , sino también siempre uno individual. Pero puede dar determinadas orientaciones generales. Le enseñaremos a interpretar muchos de los símbolos más habituales: esto le proporcionará la base para poder interpretar usted mismo sus sueños –y de una manera creativa y amena.

● Técnicas tales como las asociaciones, las afirmaciones y la imaginación le ayudarán a proseguir o alterar conscientemente sus sueños, a cambiar el rumbo de los mismos y a experimentar nuevas formas de comportamiento.

● Aproveche la energía positiva de su imaginación para desplegar todo su potencial, y aprenda a organizar conscientemente su vida con la ayuda de sus sueños.

Acerca del autor

Klausbernd Vollmar es licenciado en psicología, psicoterapeuta y técnico sanitario; desde hace más de 15 años trabaja como terapeuta y también es asesor de diversas empresas e instituciones; tiene consultorio en Inglaterra y dirige «consultas sobre sueños» en Alemania, Liechtenstein y Suiza; imparte conferencias y seminarios en Europa y Estados Unidos. Es autor de numerosos libros, la mayoría de ellos acerca de los sueños. Entre sus obras se cuentan: *Chakras*; *Colores*; *Entreno autógeno para niños*.

Símbolos oníricos
de la «A» a la «Z»

Índice alfabético

IMPORTANTE

Este manual está dirigido a personas física y psíquicamente sanas. Ocuparse de los propios sueños puede ayudar a resolver los problemas de la vida cotidiana, a desarrollar la personalidad y a mejorar la sensación de bienestar; pero no puede sustituir a ningún tipo de psicoterapia.

Solamente usted pude decidir si va a trabajar sus sueños y, de hacerlo, hasta qué punto. Si no logra solucionar sus problemas, o si siente que ello le supone una carga, será necesario que consulte a un especialista en sueños o a un psicólogo profesional cualificado.

Título de la edición original: **Träume.**

Es propiedad, 1999
© Gräfe und Unzer Verlag GmbH, Munich.

© de la traducción: **Enrique Dauner.**

© de la edición en castellano, 2005:
Editorial Hispano Europea, S. A.
Primer de Maig, 21 - Pol. Ind. Gran Via Sud
08908 L'Hospitalet - Barcelona, España.
E-mail: hispanoeuropea@hispanoeuropea.com

Depósito Legal: B. 48438-2004.

ISBN: 84-255-1562-9.

Ilustraciones: AKGphoto, página 52 (Marc Chagall); Artephot/Artothek, página 31 (Salvador Dalí); Bavaria, págs. 4, 35 (TCL), 41 (Masterfile); Mauritius, pág. 83 (Age); Tony Stone, portada, págs. 1 (James Darrell), 2, 6, contraportada (Chad Ehlers), 3 derecha, 18 (Theo Allofs), 3 izquierda, 70 (Don Bonsey), 9 (Michael Orton), 12 (Alan Levenson), 15, 29, 37, 72 (Siegfried Layda), 25 (André Perlstein), 39 (Darrel Gulin), 47 (Carol Ford), 59 (Stephen Johnson), 63 (Vera R. Storman), 89 (Paul Harris); Kraxenberger (Heide Blut), página 54; G. Westermann/Artothek, páginas 45, 68 (René Magritte); Zefa, pág. 77 (Rob Colvin).

Consulte nuestra web:
www.hispanoeuropea.com

IMPRESO EN ESPAÑA   PRINTED IN SPAIN

LIMPERGRAF, S. L. - Mogoda, 29-31 (Pol. Ind. Can Salvatella) - 08210 Barberà del Vallès